HYDRO-QUÉBEC

Des premiers défis
à l'aube
de l'an 2000

FORCES

LIBRE EXPRESSION

Nous remercions Hydro-Québec et la Société d'énergie de la Baie James pour les photos qu'elles nous ont gracieusement prêtées.

Les opinions exprimées dans cet ouvrage reflètent la pensée des auteurs et n'engagent en rien Hydro-Québec.

Photo de la page couverture:
Ottmar Bierwagen

Maquette de la couverture et maquette des pages intérieures:
France Lafond

Photocomposition et mise en pages:
L'Enmieux

Dépôt légal:
2e trimestre 1984

ISBN 2-89111-191-5

INTRODUCTION

Pourquoi célébrer avec un éclat particulier le 40e anniversaire d'Hydro-Québec? Pourquoi lui consacrer une édition spéciale en collaboration avec la revue *Forces* et la maison d'édition Libre Expression? Pourquoi avoir invité un groupe de spécialistes, représentants d'Hydro-Québec ou observateurs de la scène économique québécoise, à retracer le chemin parcouru par l'entreprise dans les dernières décennies?

Parce que certains anniversaires, plus que d'autres, invitent à la réflexion.

Et celui d'Hydro-Québec à un double titre.

Tout d'abord, Hydro-Québec, après 40 années d'existence, est arrivée à maturité. Il importe donc de dresser son portrait à un moment où elle affronte un nouveau contexte et où elle est devenue, sans qu'on s'en aperçoive toujours assez, une nouvelle entreprise, orientée vers des objectifs adaptés à notre temps.

Hydro-Québec a en outre joué au Québec un rôle historique qui en fait une entreprise sensiblement différente des autres pour des raisons affectives et culturelles.

Hydro-Québec a démarré il y a 40 ans, limitée à une clientèle géographiquement restreinte, celle de la région de Montréal. Peu à peu, son horizon s'est élargi. Elle a lancé des projets plus vastes, avec tout ce que cela comportait sur le plan de la technologie mais aussi de la gestion. Elle a accepté de nouveaux défis.

Après l'achat des entreprises d'électricité privées qui desservaient le reste du Québec, en 1963, cette évolution a pris une envergure accrue. Alors s'est ouverte l'ère des mégaprojets, des premières mondiales, des réalisations techniques majeures, des chantiers qui rassemblaient des dizaines de milliers de travailleurs. Ce fut l'époque de Manic-Outardes et de la Baie James.

Ces réalisations ouvraient à l'entreprise des perspectives nouvelles car elles supposaient des performances techniques d'une complexité croissante. Des études préalables de plus en plus poussées et scientifiques, la conception, des années à l'avance, de programmes rigoureusement planifiés, la gestion et le recrutement d'équipes pluridisciplinaires se révélaient nécessaires. Derrière les apparences, c'est-à-dire un appareil de production composé de centrales de plus en plus puissantes, se profilait un réseau de transport et de distribution élaboré et délicat à gérer. Par ailleurs, aux problèmes techniques s'ajoutaient d'autres préoccupations. La clientèle s'élargissait, le service devenait un impératif plus pressant, la gestion devenait une activité plus absorbante. Les relations avec les fournisseurs et les partenaires se structuraient. Cette époque était donc marquée par l'arrivée, dans l'entreprise, de spécialistes de toute une gamme de professions: informatique, gestion, relations avec la clientèle, approvisionnements, finance, information. La tâche de chacun devenait plus exigeante.

Ce passé d'Hydro-Québec a été jalonné de succès indéniables mais aussi de tâtonnements. Cependant, avec les années, les structures de l'entreprise s'adaptaient, de façon à répondre à la diversité et à l'ampleur de sa tâche. Des unités administratives se créaient, au fur et à mesure de l'apparition de besoins particuliers. Les méthodes se raffinaient. L'entreprise, en quelque sorte, se complétait, avec la volonté d'être toujours prête à répondre à l'évolution des conditions dans lesquelles elle remplissait son mandat.

C'est ainsi qu'Hydro-Québec est arrivée à maturité. Cette maturité va lui permettre d'affronter le monde auquel la crise économique du début des années 80 a servi de révélateur et auquel il faut faire face de toute urgence. Pour cela, les entreprises sont un instrument indispensable. Elles ont un rôle de premier plan à jouer dans la lutte qui ouvrira la voie à une nouvelle forme de progrès.

Pour participer à ce renouveau, Hydro-Québec dispose d'armes indéniables: la qualité de ses ressources humaines, son expérience de la gestion, son savoir-faire technologique, ses assises financières reconnues comme étant parmi les plus saines dans les entreprises de service public en Amérique du Nord, son réseau en quasi totalité hydroélectrique, un potentiel hydraulique non aménagé qui lui permettra de franchir et largement le cap de l'an 2000 sans recourir à de nouvelles formes d'énergie. Elle a forgé, parfois dans la concorde, parfois dans la contestation, un outil à la mesure de la mission socio-économique qui lui avait été confiée. Un outil qui s'est toujours voulu souple et adaptable malgré la taille de l'entreprise. Pour les organisations frappées de gigantisme, le défi consiste, en effet, à conserver une capacité d'adaptation à un devenir toujours incertain. La mouvance du contexte énergétique et les contraintes inhérentes à la décélération de la croissance imposent plus que jamais cette nécessité à Hydro-Québec. Définir une forme inédite de croissance, davantage axée sur des progrès d'ordre qualitatif, y trouver l'occasion d'un renouveau, représente un virage singulier et certainement difficile pour une entreprise à qui son marché n'avait jamais fait défaut. Pourtant, parce que sa maturité se fonde sur des expériences vécues et accumulées, Hydro-Québec est au contraire apte au changement, consciente de la réorientation à opérer. Elle est capable, comme l'indique son récent plan de développement, plus orienté vers le service à la clientèle et la commercialisation, de prendre à temps les décisions indispensables.

Hydro-Québec ressent ce devoir d'adaptabilité d'autant plus qu'elle n'est pas pour le Québec une entreprise tout à fait comme les autres. Elle est, pour la collectivité québécoise, un outil de promotion exceptionnel. Peu d'entreprises, en fait, occupent à travers le monde une place aussi importante dans leur milieu.

Hydro-Québec est placée, au Québec, dans une position particulière, par sa taille, par le rôle stratégique de son produit dans le développement économique québécois et par le fait que son histoire se confond avec les aspirations de tout un peuple et son affirmation de lui-même.

La taille de l'entreprise explique déjà en partie ce phénomène. Avec 20 000 employés permanents, de tous les niveaux, de toutes les professions mais tous hautement spécialisés, et, à certaines époques, avec un nombre équivalent de travailleurs sur les chantiers, Hydro-Québec a été l'un des principaux fournisseurs d'emplois au Québec. Plus particulièrement pour les diplômés qui, dans toutes les disciplines, sont sortis de nos écoles, surtout depuis 20 ans, et ont eu, grâce à elle, l'occasion de se mesurer aux réalités du monde du travail dans des conditions motivantes. Ses investissements ont représenté jusqu'à 25% du total des investissements industriels d'entreprises québécoises dans des secteurs d'avenir. Hydro-Québec a donc joué un rôle de premier plan dans le développement économique, dans la naissance du Québec moderne.

Ce rappel prend tout son sens quand on sait que son produit, l'électricité, va jouer, encore plus que par le passé, un rôle crucial dans le Québec de demain. La crise de l'énergie renforce en effet l'importance de la disponibilité et du coût de celle-ci pour l'implantation des entreprises et pour la compétitivité des produits. À ce titre, grâce aux efforts consentis pour maîtriser cette ressource, le Québec dispose d'une carte exceptionnelle pour redéployer son économie, attirer de grandes entreprises internationales — noyau autour duquel pourra se greffer un tissu d'entreprises de taille moyenne — et devenir un fabricant et un exportateur concurrentiel sur les marchés mondiaux.

Mais il y a plus. Hydro-Québec a été le symbole et même l'outil principal de l'affirmation du Québec et des aspirations du peuple québécois à la prise en main de sa destinée. L'histoire d'Hydro-Québec, ou, mieux, l'histoire du développement de l'électricité au Québec, est, à beaucoup d'égards, à la fois le reflet et l'expression de l'évolution de la société québécoise. Un lien profond unit le Québec et Hydro-Québec, fait d'espoirs, de réalisations, de satisfactions partagés. C'est en partie au travers d'Hydro-Québec, de ses progrès, que les Québécois ont pris conscience de leurs possibilités et de leurs manques, et, par là, de leurs ambitions et de leur volonté d'affirmation. C'est grâce à ses succès qu'ils ont pris confiance en eux, abordé des domaines jusque-là peu familiers. Hydro-Québec est donc plus qu'une entreprise, c'est une composante de la personnalité québécoise. Elle doit tout à la collectivité qui l'entoure, à ceux qui ont travaillé pour elle, à ses abonnés, pour leur fidélité à son endroit et leurs salutaires exigences. Parler de réalisation collective devient en ce cas presque un euphémisme. Pour chaque Québécois, Hydro-Québec est un peu sienne, il s'y reconnaît. Les critiques n'ont pas manqué mais, en définitive, se sont révélées constructives. Les feux de l'actualité ont été presque constamment braqués sur elle. C'est un témoignage de la profondeur de ce lien.

Ces rapports privilégiés sont pour Hydro-Québec un argument puissant pour ne pas décevoir ceux, individus, responsables sociaux, partenaires industriels, auxquels elle doit son impulsion. Dans le contexte qui caractérise les années 80, des erreurs sont à ne pas commettre, en particulier celle de se replier sur soi et de se reposer sur les lauriers du passé. Des occasions sont à saisir, plus nombreuses qu'on le croit, dans cette redistribution économique des cartes au niveau mondial. Hydro-Québec est forte de ses quarante années d'expérience, de l'appui de ceux qui ont gouverné et gouvernent le Québec, et du soutien, qui ne lui a jamais fait défaut, de la population québécoise. Elle est pleinement consciente du rôle qui lui incombe, des difficultés de la partie qui s'engage. Mais elle connaît aussi ses atouts.

Marcel Couture
vice-président Information,
Hydro-Québec

TABLE DES MATIÈRES

Un changement significatif

Guy Coulombe,
PDG d'Hydro-Québec
propos recueillis par Pierre Bourgault, professeur,
Université du Québec à Montréal

Hydro-Québec: un symbole de première importance pour les Québécois et les Québécoises. C'est évidemment une réussite extraordinaire et on peut, à bon droit, être fier de ses réalisations.

Mais c'est aussi un service public et une entreprise commerciale. Au-delà du symbole on découvre une gigantesque machine, complexe et multiforme, riche et puissante, dont l'efficacité repose sur la qualité et la pertinence des décisions qui se prennent à tous les échelons de son imposante structure.

Le symbole ne serait rien si l'entreprise n'était pas efficace et rentable.

Nul n'en est plus conscient que Guy Coulombe, président-directeur général de la maison.

À le voir, on l'imaginerait facilement plus à son aise sur un chantier que dans les bureaux feutrés d'un conseil d'administration. Solide et carré, simple et direct, il occupe entièrement l'espace physique dont il a besoin pour affirmer son autorité. Une présence.

À l'entendre, on découvre rapidement qu'il a une vaste culture, une expérience aussi variée qu'essentielle, un discours clair où la nuance le dispute à la fermeté, une capacité de synthèse éloquente, une autorité morale incontestable. Une présence intelligente.

Il n'y va pas par quatre chemins.

«Désormais, Hydro-Québec doit modifier ses orientations. Et de façon draconienne.

«Elle a vu le jour à l'époque où nous assistions à une accélération de l'industrialisation. Pendant plus de 35 ans, les sociétés occidentales ont connu une croissance rapide et soutenue. Hydro-Québec devait accompagner cette croissance tout en restant fidèle au mandat qu'on lui avait confié. Elle devait sans cesse développer de nouvelles sources d'énergie pour répondre à la demande. Ce fut l'ère des grandes réalisations, des mégaprojets, de Manicouagan, de la Baie James, de la construction des grands réseaux de distribution.

«Cela étant fait, et bien fait, il faut aujourd'hui que l'entreprise puisse s'adapter à la conjoncture actuelle.

«En quelques années, le contexte a changé du tout au tout. Nous avons connu la crise du pétrole, l'inflation galopante et une récession économique beaucoup plus profonde que prévue. Bref, nous nous retrouvons en situation de surplus.

«Ce n'est donc pas le moment d'augmenter notre production. Mais c'est le moment rêvé pour consolider et améliorer notre réseau de distribution tout en nous lançant résolument dans la recherche et la mise au point de nouvelles technologies.

«Il est évidemment moins spectaculaire d'enfouir des fils et de faire disparaître des poteaux, d'offrir au public de meilleurs moyens de communication avec la compagnie, de réorganiser les infrastructures ou d'affiner les analyses de coûts que de lancer les gigantesques chantiers des dernières années, mais c'est à ce prix que nous pourrons asseoir l'avenir sur des bases solides.

«Si Hydro-Québec a su démontrer sa maturité en maîtrisant — voire même en créant — une spectaculaire technologie de pointe, elle doit maintenant démontrer sa capacité d'adaptation et de changement.»

Ainsi, pour la haute direction d'Hydro-Québec et pour son président-directeur général Guy Coulombe, les objectifs de l'entreprise sont-ils clairement définis.

Mais il reste à convaincre une opinion publique un peu récalcitrante. Habituée aux grands chantiers et aux constructions gigantesques, elle ne comprend pas toujours la nécessité du changement. Et surtout elle se fait difficilement à l'idée d'interventions plus discrètes, moins «photogéniques», plus terre-à-terre.

Guy Coulombe est bien conscient qu'il touche à un symbole qu'on voudrait immuable. Mais il sait aussi que le symbole ne vaudra que dans la mesure où l'entreprise saura rester à la fine pointe de l'innovation et de la rentabilité. Aussi se fait-il fort d'expliquer, aussi souvent que nécessaire, la nécessité du changement de cap et les raisons qui ont motivé la définition des nouveaux objectifs.

Des objectifs simples, précis, qui se résument facilement.

Améliorer de façon significative les services aux usagers puisque ceux-ci sont au centre même des préoccupations de l'entreprise.

Offrir des prix compétitifs à la clientèle, notamment à la clientèle industrielle.

Consolider et pousser plus loin l'avantage comparatif que le Québec possède en matière de prix et de disponibilité d'énergie, en assumant pleinement le virage technologique dans le secteur propre à l'hydroélectricité.

Guy Coulombe: «Tous ces objectifs sont prioritaires et on ne peut établir la préséance de l'un sur les autres. Il existe entre eux une interaction inévitable qui les rend complémentaires. Il faut donc agir sur tous les fronts à la fois.»

Mais l'esprit de décision n'est pas tout. Encore faut-il avoir les moyens de ses politiques. Il n'est pas facile pour une grande entreprise de modifier sa course aussi substantiellement mais, selon le grand patron d'Hydro-Québec, la société a en main des atouts incontestables qui lui permettent de bien maîtriser la situation.

LES ATOUTS D'HYDRO-QUÉBEC

Guy Coulombe se fait éloquent. Il emporterait l'adhésion par la simple force de sa conviction; mais il compte sur d'autres arguments.

«Hydro-Québec possède, par rapport à d'autres grandes entreprises d'électricité dans le monde, des avantages considérables.

«En premier lieu, elle contrôle entièrement la source de sa production et, pour certains de ses marchés, elle est en situation de quasi- monopole. C'est loin d'être le cas dans la plupart des pays du monde.

«De plus, l'énergie qu'elle produit est de source hydroélectrique à près de 100%. Elle peut donc concentrer ses efforts de production et de recherche dans ce domaine particulier. D'autres entreprises, dont les moyens de production sont divers (nucléaire, pétrole, gaz, charbon), doivent, par la force des choses, investir leurs ressources humaines et matérielles dans des champs fort éloignés les uns des autres, ce qui constitue un inconvénient certain.»

Ici, Guy Coulombe ne manque pas de souligner qu'Hydro-Québec dispose encore d'un vaste potentiel hydroélectrique qui, au rythme actuel de son développement, lui permettra de franchir, et largement, le cap de l'an 2000. Ce potentiel, il est bien connu des experts de l'entreprise, et on a «mis en banque» plusieurs projets qu'on pourrait facilement mettre en route si la nécessité se faisait sentir.

Il ajoute aussitôt: «Hydro-Québec a atteint, au fil des ans, une taille telle qu'elle lui permet, contrairement à bon nombre d'entreprises, de traiter ses affaires avec assurance et confiance.

«Sa taille et sa puissance lui assurent les moyens de ses politiques.

«De plus, elle peut compter sur un centre de recherches qui possède une compétence à la mesure de ses ambitions. L'Institut de recherche en électricité du Québec (IREQ), en effet, a l'infrastructure et les moyens financiers nécessaires à son épanouissement. Autrement dit, Hydro-Québec a les reins solides, une réputation enviable et une banque de cerveaux comparable à ce qu'on trouve de mieux dans le monde.»

On sent bien que le grand patron n'est pas peu fier de son entreprise. Sans surestimer ses avantages, il les souligne à l'envi. Quand on lui fait remarquer qu'il n'est pourtant pas facile de faire bouger et de réorienter une machine aussi énorme, il répond sans sourciller:

«Hydro-Québec a une capacité de changement remarquable pour une entreprise de cette envergure. Elle l'a démontré clairement depuis quelques années. Ainsi, Hydro-Québec est parvenue à alléger ses structures administratives et à comprimer ses dépenses en s'imposant, dès le départ, le défi d'effectuer les changements nécessaires sans faire de mise à pied.

«Elle a réussi à alléger la structure de sa direction en coupant 30% des postes de cadres. De plus, une réduction des effectifs de plus de 5% a été rendue possible en stoppant carrément l'embauche (qui tournait autour de 1 500 personnes par année) et en affectant à d'autres tâches les employés mis en disponibilité par suite du réaménagement fondamental des grandes priorités de l'entreprise.»

Il serait plutôt étonnant que pareils changements n'aient pas provoqué, dans toute la structure, des remous considérables, à tout le moins des tiraillements propres à freiner une démarche aussi exigeante. Mais Guy Coulombe est catégorique:

«S'il y a eu, somme toute, si peu de grincements de dents, c'est qu'il s'est développé, au sein de l'entreprise, une sorte de consensus sur l'idée qu'il fallait qu'Hydro-Québec puisse poursuivre sa marche en avant dans des conditions différentes du passé. Sans ce consensus, la volonté de changement eût vite été en butte à une résistance certaine. Il faut souligner également que l'entreprise est toujours en pleine expansion, même si elle a modifié le rythme de son développement. Ce sont ces deux facteurs combinés: consensus et expansion, qui ont assuré le succès de la manoeuvre.»

Les premiers indices d'un bilan positif sont probants. Le rythme d'accroissement des dépenses d'exploitation, qui oscillait autour de 20% depuis quelques années, a été ramené à 11,3% en 1982 et à 6,5% en 1983. Au bout du compte, une heureuse nouvelle pour les consommateurs: une facture d'électricité beaucoup plus raisonnable qu'ils auraient pu l'espérer sans ces mesures correctives.

Cela n'a pas été sans mal — on ne fait pas ce genre d'opération sans qu'il en coûte quelque chose sur le plan humain — mais Guy Coulombe croit que les difficultés ont été réduites au minimum.

Il peut dès lors affirmer: «Plus fonctionnelle et plus dynamique, l'entreprise peut désormais s'attaquer à ses trois objectifs prioritaires.»

LES OBJECTIFS

LE SERVICE À LA CLIENTÈLE

Nous touchons au coeur de l'affaire. Le grand patron d'Hydro-Québec, Guy Coulombe, le répète sans cesse: l'entreprise n'existerait pas sans ses usagers et c'est à eux d'abord qu'on doit toutes les explications et tous les services.

C'est pourquoi il voudra, dans un premier temps, expliquer la politique d'exportation d'Hydro-Québec. Il la croit mal comprise par les usagers, qui ne voient pas en quoi elle leur apporte quelque chose, à eux.

«Tout le monde, évidemment, se plaint du coût de l'électricité. C'est vrai, tout coûte trop cher. Mais, aussitôt que nous comparons, nous nous apercevons que nous avons toujours l'électricité la moins chère au monde.

«Ce n'est pas un mythe et ce n'est pas un slogan. À quelques rares exceptions près, le coût de l'électricité pour l'usager québécois est au moins deux fois, voire trois fois moindre qu'ailleurs. Et c'est un peu beaucoup grâce à nos exportations que nous pouvons arriver à offrir nos services à ce prix.

«Ce qu'il ne faut jamais oublier, c'est qu'Hydro-Québec n'exporte, pour le moment, que des surplus. Nous vendons le plus cher possible un produit qui ne nous coûte presque rien et qui se perdrait dans la mer autrement. Mais, en retour, les profits que nous en tirons nous permettent de maintenir à un niveau plus que raisonnable le coût de l'électricité livrée à nos usagers.

«En moins de 12 mois, nous avons signé des contrats d'exportation pour une valeur de six milliards de dollars.

«Trouvez-moi une entreprise qui en a fait autant.

«Les choses vont bien, même si les négociations avec les Américains

L'Institut de recherche en électricité du Québec (IREQ): un centre d'expérimentation à la mesure des ambitions d'Hydro-Québec.

sont parfois longues et difficiles. L'organisation des services publics aux États-Unis est telle que nombre d'entreprises doivent d'abord harmoniser leurs intérêts avant de pouvoir entreprendre une négociation. C'est un processus lent et difficile. Ajoutons à cela qu'il existe chez nos voisins du sud des lobbies extrêmement puissants — celui du charbon, par exemple — qui font tout pour nous mettre les bois dans les roues sans que nous puissions les en blâmer. Ils ont le droit de défendre leurs intérêts comme nous défendons les nôtres. Comme ils veulent aussi défendre leur indépendance en matière d'énergie, c'est une difficulté supplémentaire qui s'ajoute aux autres.

«Cela dit, il n'empêche que nous devons négocier aussi fermement que possible pour atteindre la plus grande rentabilité possible. Ce n'est pas parce que nous avons des surplus que nous devons les brader.»

Voilà qui est clair. Mais peut-être pourrait-on aller plus loin. Peut-être qu'au lieu de ne vendre que ses surplus Hydro-Québec pourrait s'engager plus avant en destinant, de façon ferme cette fois, une partie de sa production à l'exportation. Après tout, le potentiel d'exploitation n'est-il pas réel?

Guy Coulombe répond: «Oui, vous avez raison. Et c'est dans cette voie que nous nous dirigeons. Nous venons d'ailleurs de signer avec les Américains notre premier contrat de vente ferme. Mais il faut être prudent. Autrement dit, il faut signer des contrats avant de construire de nouvelles installations. Le contraire serait extrêmement dangereux et pourrait nous placer dans une position précaire. Hydro-Québec se retrouverait alors en possession d'installations extrêmement coûteuses qu'elle aurait de la difficulté à rentabiliser.

«Nous sommes confiants d'arriver à des solutions heureuses d'ici peu.

«Ce qu'il faut, c'est trouver un équilibre entre l'exportation de notre énergie hydroélectrique, qui nous rapporte de l'argent, et la promotion et l'utilisation de l'électricité chez nous, sur notre territoire, en invitant les industries à s'y installer, le cas échéant.

«Les deux thèses ne se contredisent pas. Elles sont plutôt complémentaires et c'est dans l'équilibre entre les deux que nous servons le mieux les intérêts de la collectivité québécoise.»

Après avoir expliqué les avantages de l'exportation, Guy Coulombe souligne que le temps d'arrêt dans le programme d'investissements reliés aux équipements de production permet à Hydro-Québec de concentrer davantage ses efforts dans l'amélioration de la qualité de ses services à la clientèle.

«Améliorer la fiabilité du réseau, c'est augmenter la qualité du service. Enfouir les fils dans les régions urbaines, lorsque la densité le justifie, c'est améliorer la qualité du service. Décentraliser l'autorité, c'est améliorer la qualité du service.»

Guy Coulombe insiste sur ce dernier point:

«Hydro-Québec a amorcé un mouvement de décentralisation qui va s'accélérer dans les années qui viennent.

«Le Québec, comme de nombreux autres pays, a connu des expériences de décentralisation malheureuses et on pourrait croire que l'entreprise s'engage dans le même sens. Il n'en est rien. C'est d'une décentralisation de l'autorité que nous parlons et de rien d'autre. Rapprocher l'autorité des gens, voilà ce que nous cherchons.

«À partir des grands objectifs définis par le siège social, les régions doivent avoir l'autorité et la liberté d'agir rapidement au meilleur de leur compétence. C'est le seul moyen de répondre adéquatement aux besoins des usagers.

«S'il est vrai que la majorité des abonnés individuels se concentrent

L'imposante rivière Caniapiscau.

dans les deux grandes régions de Montréal et de Québec, il ne faut pas oublier qu'il y a des installations et des usagers dans toutes les régions du Québec. Ces usagers ont les mêmes droits que les autres et Hydro-Québec doit pouvoir leur offrir les mêmes services.»

Pas de constructions spectaculaires, pas de projets mirobolants, mais plein de petites choses pourtant essentielles que la faible croissance de la demande permet d'entreprendre sans modifier de façon sensible les grandes politiques de l'entreprise.

Une autre de ces petites choses: «Il est inadmissible, dit Guy Coulombe, que les usagers ne puissent nous joindre rapidement par téléphone pour nous faire part d'une suggestion ou d'un problème. Il faut donc, de toute urgence, perfectionner le réseau de communications d'Hydro-Québec pour qu'il puisse répondre efficacement aux exigences légitimes de la clientèle.»

Guy Coulombe ne voudrait surtout pas que les citoyens croient qu'Hydro-Québec cesse ses activités.

«Moins spectaculaires, ces activités sont source d'emplois et engendrent des effets secondaires importants. Ce n'est pas parce que Hydro-Québec ne construit pas de barrages actuellement qu'elle cesse d'investir et de créer des emplois. Cela paraît moins, voilà tout.

«En vérité, elle va créer plus d'emplois, cette année, grâce à des investissements de plus de deux milliards de dollars, qu'elle ne le faisait au moment où elle construisait des barrages.

«Il faut faire attention de ne pas confondre le spectaculaire et le rentable.»

LES PRIX

Le deuxième grand objectif d'Hydro-Québec, c'est d'arriver à offrir à l'industrie des prix qui soient au moins aussi intéressants que ceux de la concurrence.

Mais d'où vient donc la nécessité d'envisager maintenant cette politique? Le président-directeur général d'Hydro-Québec nous donne la réponse:

«Un service de qualité, c'est aussi un service offert à des prix concurrentiels. Alors que la croissance allait de soi, on se préoccupait très peu de la concurrence. L'effet des crises de l'énergie sur les prix relatifs des diverses formes d'énergie a placé Hydro-Québec dans une situation de concurrence très forte.

«Dans le secteur industriel, par exemple, les fournisseurs de gaz ont été beaucoup plus dynamiques qu'Hydro-Québec. De plus, depuis quelques années, le gaz touche plusieurs régions qu'il ne touchait pas auparavant.

«On reproche beaucoup aux gouvernements du Québec et du Canada d'avoir ouvert ces nouveaux marchés au gaz de l'Ouest canadien alors même que le Québec en tire beaucoup moins de profits qu'avec l'électricité.

«Mais la décision qu'on a prise à cette époque relevait d'une logique impeccable — souvenons-nous que nous étions en pleine crise de l'énergie — et nul ne pouvait prévoir une telle réduction de la demande.

«Certains pourraient reprocher aux gouvernements d'avoir manqué de flair mais, pour ma part, je ne me scandalise pas et, surtout, il ne me déplaît pas de voir Hydro-Québec forcée d'affronter un sérieux concurrent. Il nous appartient de trouver les solutions adéquates et d'aller chercher notre part du marché.

«Or, cette part peut être beaucoup plus grande qu'elle ne l'est actuellement. Nous avons fait de nombreuses études qui nous permettent de le croire et déjà nous avons signé des contrats avec un certain nombre d'entreprises qui ont lancé des expériences pilotes dont les résultats sont fort satisfaisants.

«Il y a, dans l'industrie, un marché énorme que nous avons trop négligé jusqu'à maintenant.»

Ce marché dont parle Guy Coulombe, on le trouve dans bon nombre de secteurs industriels. Mais la plus grande part de ce potentiel se concentre dans sept industries: l'industrie laitière, le textile, la chimie, les pâtes et papiers, la fonte et l'affinage des métaux, les mines de fer et les mines d'amiante.

«Sur un horizon de 10 ans, commente Guy Coulombe, le potentiel d'électrification de l'industrie québécoise se situe entre 35 et 45 milliards de kilowatts-heures.»

Pas besoin d'être un expert pour comprendre qu'il s'agit là de chiffres importants.

Guy Coulombe conclut: «Comme vous pouvez le constater, le potentiel est là. Hydro-Québec peut, avec les technologies existantes, offrir des prix compétitifs à plusieurs secteurs de l'industrie. Il nous reste à les convaincre de ce fait et l'entreprise engagera tous les efforts nécessaires pour y arriver. Avec le développement des nouvelles technologies, le mouvement ira s'accélérant dans les années qui viennent.»

HYDROÉLECTRICITÉ ET VIRAGE TECHNOLOGIQUE

Guy Coulombe ne veut pas voir Hydro-Québec rater le virage technologique mais il ne voudrait pas non plus que l'entreprise s'y précipite aveuglément sans avoir d'abord défini ses besoins et la manière de les combler.

«On parle évidemment beaucoup du virage technologique et plusieurs n'y voient que des micro-ordinateurs et des jeux vidéo. Nombreux sont ceux aussi qui y voient une panacée et qui s'engagent dans cette voie avec une témérité qui n'a d'égale que leur inconscience.

«Par contre, on sent dans beaucoup de secteurs des résistances si grandes qu'elles pourraient freiner les mouvements créateurs. La fuite en avant pourrait nous être aussi néfaste que le piétinement.

«À Hydro-Québec, nous nous engageons résolument dans le virage technologique, sans nous traîner les pieds, mais avec suffisamment de prudence pour ne pas obtenir les effets contraires de ceux que nous attendons.

«D'ailleurs, cela n'est pas nouveau. Il y a des années que l'entreprise se maintient à la fine pointe de la technologie dans plusieurs domaines de sa compétence.

«Mais nous avons négligé certains secteurs, notamment le secteur industriel, et c'est de ce côté que nous voulons diriger nos efforts. Nous comptons pouvoir augmenter l'utilisation de l'électricité dans l'industrie mais nous espérons également que les nouvelles technologies nous permettront d'accroître son efficacité énergétique.»

Guy Coulombe n'est pas inquiet. L'hydroélectricité est une source d'énergie dont l'efficacité n'est plus à démontrer. Mais il croit qu'on peut encore l'augmenter et Hydro-Québec se fait fort d'y arriver.

«Le réalisme le plus élémentaire nous commande d'abord d'améliorer l'efficacité du réseau. Le produit que nous vendons doit atteindre une qualité incomparable. Nous avons des problèmes et nous devons les régler. Ainsi, les pannes que subissent trop fréquemment nos usagers doivent se faire de plus en plus rares.»

Le président-directeur général d'Hydro-Québec ne cherche pas à nier les problèmes qui affectent les usagers le plus directement. Bien au contraire. Guy Coulombe veut que l'entreprise, par exemple, s'attaque résolument au problème des pannes, qui prennent parfois des allures tra-

giques, surtout l'hiver.

Mais les nouvelles technologies ne serviront pas qu'à éliminer les pannes. C'est ici que Guy Coulombe souligne l'importance d'investir massivement dans la recherche et le développement «dans l'espoir de rester à la tête du peloton, lorsque nous y sommes, et de la prendre, le cas échéant».

L'IREQ a déjà fait du très bon travail en ce sens et, contrairement à nombre de centres de recherche, il a les moyens et l'infrastructure nécessaires à son plein épanouissement.

«Il faut que l'IREQ puisse se développer aussi rapidement que possible mais il faut aussi que, parallèlement, la recherche se fasse dans les petites et les grandes entreprises. Hydro-Québec s'est déjà engagée à soutenir un certain nombre d'expériences de ce genre et elle augmentera rapidement son apport dans ce domaine. Elle a la taille et les moyens financiers pour appuyer ces initiatives de multiples façons. On peut même penser, mais ce n'est pas pour demain, que l'entreprise pourrait se diversifier en se lançant dans un certain nombre de *joint-ventures* de fabrication. Je dis cela sous toutes réserves mais nous y pensons. Ce serait là, en tout cas, une conclusion logique à notre effort de recherche en nouvelles technologies. Il n'est donc pas interdit de penser qu'Hydro-Québec puisse assumer une part des risques liés au développement et à la mise au point de nouvelles technologies, à leurs applications industrielles et à leur exportation le cas échéant. Nous faisons actuellement quelques expériences pilotes qui nous permettent d'envisager un bilan positif.

Hydro-Québec doit répondre efficacement aux exigences légitimes de sa clientèle.

21

«La Baie James des années 80, ce sont les nouvelles technologies au service de l'industrie et de l'ensemble des usagers.»

«Le virage technologique ne doit pas devenir un simple slogan vide de sens, dit-il. Il faut le négocier avec prudence et avec audace. Il n'y a pas là contradiction. Cela doit se faire d'abord dans l'intérêt de nos clients et dans l'intérêt de l'ensemble de la collectivité québécoise.»

CONCLUSION

L'enthousiasme de l'homme ne fait pas de doute. Guy Coulombe, de toute évidence, ne manque pas de la persuasion nécessaire pour rallier le plus grand nombre aux objectifs de l'entreprise qu'il dirige.

À la tête d'une société qui a les reins solides et qui a su se donner, au cours des ans, les moyens de ses politiques, il ne craint pas l'époque que nous vivons, bien au contraire. Il croit que la faible croissance de la demande actuelle, loin de constituer un handicap, laisse à l'entreprise le temps de souffler, de consolider les acquis, et de prendre sans heurt les virages nécessaires.

Il a la foi des bâtisseurs. Il a aussi la vision réaliste de l'administrateur.

«Non, Hydro-Québec ne peut pas sauver le Québec à elle seule. Mais elle peut continuer d'être le moteur d'un développement nécessaire et profitable.

«Elle a fait ses preuves. Le monde entier le constate. Mais elle ne veut pas s'asseoir sur ses lauriers.

«Nous avons construit une entreprise gigantesque et efficace qui fait l'envie de plusieurs. Une entreprise solide, puissante et riche qui peut se permettre d'envisager les 20 prochaines années avec un optimisme qui n'est pas qu'une façade.

«C'est un optimisme qui s'appuie sur des faits, sur des réalisations et sur de nouveaux objectifs que nous savons pouvoir atteindre.

«On nous répète depuis toujours que l'avenir est à l'hydroélectricité. À voir ce qui se passe aujourd'hui dans le monde, nous ne pouvons qu'en convenir.

«Mais, pour Hydro-Québec, l'avenir c'est maintenant.»

La centrale de la Shawinigan Water and Power Company, en 1930. C'est en 1901 que Shawinigan Water and Power Company commence à livrer de l'électricité à Shawinigan Electric Light Company, pour usage local, et de l'énergie hydraulique à Northern Aluminum Company.

La centrale de Saint-Narcisse aménagée par North Shore Power en 1897.

La centrale Soulanges en 1915. Elle fut utilisée jusqu'en 1929.

La centrale Chaudière, d'une puissance de 3 500 kW, aménagée au début du siècle et fermée en 1970.

*La centrale Saint-Thimothée
complétée en 1915 avait une
puissance de près de 22 500 kW.*

Témoignage d'une carrière à Hydro-Québec

Joseph Bourbeau,
président du conseil d'administration d'Hydro-Québec,
propos recueillis par Odilon Gagnon

«D'ici un an, deux tout au plus, Hydro-Québec sera devenue l'entreprise d'électricité la mieux organisée, la mieux établie et, en termes d'administration financière, certainement la plus saine de toutes les entreprises comparables du continent nord-américain. Nous en sommes là, après 40 ans. Pour moi, bien sûr, c'est le plus grand sujet de fierté de toute ma carrière dans cette entreprise.»

Président du conseil d'administration d'Hydro-Québec depuis 1980 et un des bâtisseurs de la première heure, Joseph Bourbeau raconte Hydro-Québec. Il a vécu 36 des 40 années d'histoire de l'entreprise, témoin d'une période exaltante et mouvementée de la vie d'Hydro-Québec et de celle du Québec.

LES NOUVEAUX ARRIVANTS

Le 15 avril 1944, suite à près de 10 ans de discussions politiques et de guerres de pouvoir, l'étatisation et la prise de possession de la Montreal Light, Heat and Power Consolidated et de la Beauharnois Power Corporation par la Commission hydroélectrique de Québec sont un fait accompli. Hydro-Québec est née. Quelque 1 150 employés, désormais nouveaux «Hydro-Québécois», continueront à desservir les 290 000 abonnés du Montréal métropolitain, seul territoire occupé alors par la nouvelle Commission. Le mandat d'Hydro-Québec, qui restera inchangé jusqu'en 1978, stipule qu'elle doit *fournir de l'énergie aux municipalités, aux entreprises industrielles et commerciales et aux citoyens de cette province aux taux les plus bas compatibles avec une saine administration financière.*

Or, le mandat est une chose, le contexte en est une autre. Le milieu des affaires est dominé et dirigé par les anglophones, partout au Québec comme à Hydro-Québec. Perçu comme étant de nature sociale-démocrate aux yeux de l'Establishment de l'époque, le mandat pouvait difficilement être réalisé sans que la nouvelle Commission ait le courage d'effectuer de profonds changements administratifs. Elle le fera, graduellement. La relève viendra de jeunes ingénieurs de l'École polytechnique de l'Université de Montréal introduits dans la place et qui feront figure de symboles du changement, de créateurs capables d'assumer les transformations profondes de l'après-guerre. Joseph Bourbeau est un de ces jeunes nouveaux, qui se joint en 1948 à l'équipe des François Rousseau, Clément Forest, Yvon DeGuise, Robert A. Boyd, Guy Monty et autres premiers arrivants de la nouvelle vague déjà en poste.

La prise de possession de l'hydroélectricité québécoise par le gouvernement date de quatre ans mais le vrai pouvoir, capitaliste par profession et asocial par tradition, n'a pas changé de mains. «Le nouvel arrivant se demandait si l'étatisation avait vraiment eu lieu, nous confie Joseph Bourbeau. Les anciens étaient toujours là, les rênes bien en mains. On nous demandait d'y aller de nos propres initiatives dans le champ bien circonscrit de la construction d'équipement de production, sans plus. Et il fallait faire vite.»

Le climat interne de l'entreprise baigne alors dans un mélange d'optimisme et de pessimisme quant à son avenir, de méfiance des anciens envers les nouveaux, d'incertitude chez les employés et d'une résistance systématique des nouveaux nationalisés aux changements. L'image d'Hydro-Québec auprès du public est à bâtir à neuf, sur une vision positive capable d'effacer les abus du passé et de donner à l'abonné la place qui lui revient. Hydro-Québec prendra son essor au sein d'une société qui sort de la Deuxième Guerre mondiale, inquiète de son avenir et consciente qu'elle doit asseoir une structure industrielle sur des bases solides si elle veut échapper aux mauvais souvenirs des années 30. «Nous avions la bonne fortune d'être dirigés durant cette période par L.-Eugène Potvin, un des grands présidents d'Hydro-Québec, souligne M. Bourbeau. Homme simple et accueillant, excellent financier, il a occupé son poste dès le début de la grande période de construction, ce qui était pour lui et pour nous à l'époque l'équivalent du choc du futur. Il a résolu tous les grands problèmes de façon remarquable.»

Tel est le contexte de l'entrée en scène d'Hydro-Québec en cette période d'après-guerre.

GRANDIR AVEC LES ABONNÉS

Dès après l'étatisation et à partir de 1948 particulièrement, un sérieux différend interne surgit. C'est la querelle des optimistes et des pessimistes, des progressistes contre les attentistes. Les consommateurs, qui ont souffert des pénuries du temps de guerre, envisagent-ils l'avenir sous un jour nouveau, tournant le dos au passé récent et à la triste période des années de crise d'avant-guerre? L'industrie et le commerce emboîteront-ils le pas et donneront-ils le ton? Le temps nouveau, c'est quoi?

Ces interrogations des Québécois d'alors font sourire aujourd'hui ceux qui ont vécu depuis 1950 des décennies de prospérité. Mais elles étaient dans le temps le reflet d'un peuple meurtri et désillusionné qui cherchait un sens à son avenir et un bien-être qu'on lui avait longtemps refusé.

À Hydro-Québec, les interrogations de la société québécoise suscitent des affrontements entre les dirigeants et les cadres de tendances opposées. Les optimistes ont-ils raison de miser sur le progrès, sur l'avènement d'une société de consommation dévorante d'énergie? Peuvent-ils anticiper de façon réaliste la demande d'énergie que les pessimistes prétendent imprévisible?

Cette querelle des anciens et des nouveaux, les consommateurs auront tôt fait de la régler. Hydro-Québec ira de l'avant, les optimistes triompheront et le bond en avant de l'entreprise, bien qu'extrêmement dynamique, aura peine à répondre aux besoins. Les jeunes nouveaux gagnent la première bataille significative. Les expansionnistes ont le dernier mot, imposent leur rythme de croisière, prennent tous les risques. «Dans la mesure où le choix d'Hydro-Québec s'est porté sur l'expansion, c'était déjà entrevoir la vie en rose, se rappelle Joseph Bourbeau. La dépression et l'âge sombre étaient enfin choses du passé et il fallait que ça bouge. Rien ne pouvait nous arrêter.»

Durant la période allant de 1948 à 1960, Hydro-Québec commence à gravir les échelons du succès. Elle fait une première percée de production en Abitibi et une deuxième beaucoup plus importante à Bersimis. Un sentiment nouveau au sein de l'entreprise, celui de la fierté, accompagne cette expansion, même si elle se fait au profit des compagnies privées qui desservaient alors la clientèle dite «provinciale». Mais Hydro-Québec est loin de jouir d'une pleine autonomie administrative et elle doit se contenter d'être gérante de projets. L'emprise du gouvernement est forte, les entrepreneurs sont choisis par lui et exécutent pour le compte d'Hydro-Québec. On se replie sur le raffermissement du réseau métropolitain, sur la gérance des travaux des chantiers nouveaux, la vente de la nouvelle production aux compagnies privées et l'exportation d'énergie à l'Ontario.

Pour la première fois à Hydro-Québec, entre 1953 et 1960, plus d'un chantier à la fois est en marche et la pratique du choix d'investissements et de sites de production est implantée selon la méthode d'actualisation des coûts et des avantages comparatifs des projets. Le poids des investissements est énorme pour l'époque car Hydro-Québec s'engage dans des projets de grande envergure: Beauharnois 2 et 3, Bersimis I et II, réseau de l'Abitibi, câbles sous-marins entre la côte Nord et la Gaspésie, importantes lignes de transport à 315 kV pour acheminer l'énergie des nouvelles centrales, début de l'aménagement de Carillon et, surtout, la décision, cruciale pour l'avenir, d'aménager les rivières Manicouagan et aux Outardes, le plus gros projet conçu à ce jour par Hydro-Québec alors que son infrastructure et la dimension de son réseau rendaient cette décision très risquée.

L'année 1952 marque le point tournant, à Hydro-Québec, de la préséance du constructeur sur l'exploitant du réseau, de la production sur la distribution, dira M. Bourbeau. «Nous avions prévu une augmentation de la demande des abonnés d'environ 7% par année et nous avions visé juste. Il fallait construire, et vite, l'oeil sur la lunette d'approche tournée vers l'avenir. J'étais à la fois heureux et privilégié d'être un des constructeurs d'Hydro-Québec et j'y trouvais les éléments de créativité et de dynamisme qui convenaient à ma nature. Pour moi, l'avenir était dans la construction.»

Période, enfin, qui consacre la vocation de la société québécoise d'après-guerre, prête à s'adapter aux courants contemporains et à valoriser le citoyen qui veut participer à son développement et à l'implantation de nouvelles techniques. Bien vite, l'abondance des biens sollicite le consommateur. Qu'on se rappelle l'époque: début de la télévision, mise en service du jet qui facilite les voyages rapides à l'étranger, arrivée des premiers ordinateurs, achat de la maison individuelle de banlieue et d'une autre à la campagne, d'une première voiture et bientôt d'une seconde, d'une multitude de gadgets sophistiqués. Le monde extérieur influence le Québec, qui participe, dans la mesure où le régime politique en place le lui permet, à l'accélération de l'histoire, à ses premières et timides relations avec l'étranger, à l'ouverture sur le monde extérieur.

Nous voilà à la veille des années 60. À Hydro-Québec, la préparation psychologique, organisationnelle et technique des jeunes en poste est accomplie. Pour eux, la prochaine décennie sera marquante. Les bâtisseurs d'Hydro-Québec, les jeunes ingénieurs et autres professionnels, se sont installés et ils ont établi les bases du changement qu'ils perçoivent déjà. L'avènement de la Révolution tranquille leur permettra d'assurer la permanence du progrès.

LA PREUVE DU SUCCÈS

Le 22 juin 1960, le parti libéral de Jean Lesage est porté au pouvoir et il s'engage résolument dans la Révolution tranquille. Un peu surpris par cet événement, même s'il le pressentait depuis quelque temps, le Québec s'ajuste, poursuit sa lancée économique dans un climat déjà plus aéré, cherche à raffiner ses modèles de croissance. Hydro-Québec est, elle, tout à fait prête à absorber ce premier véritable choc du futur du Québec contemporain. «J'ai appris les résultats de l'élection du 22 juin par un douanier à la frontière canado-américaine alors que je revenais d'un voyage d'études aux États-Unis, raconte le président du conseil. Je me suis dit qu'aucune entreprise n'était mieux préparée qu'Hydro-Québec à s'intégrer au nouvel esprit créateur qui devait dorénavant marquer la vie du milieu. J'avais hâte de rentrer au bureau, juste pour voir les têtes des collègues, sentir le climat interne.»

La fierté d'Hydro-Québec s'accroît au rythme de la pleine autonomie qui lui est conférée et qui lui assure enfin des coudées franches. Finie

la seule gérance des chantiers. Hydro-Québec devient entrepreneur de plein droit, examine les contrats en cours, respecte ceux qui sont signés et annule tous les autres. Finie l'ingérence gouvernementale. Les nouveaux contrats de construction sont octroyés suite à des appels d'offres. On procède aux changements administratifs qui correspondent aux besoins du jour, à des relations avec le nouveau gouvernement qu'on essaie d'établir sur des bases rationnelles, à l'accueil d'un nouveau président, J.-C. Lessard. «Ce fut un des plus grands administrateurs qu'Hydro-Québec ait connus, affirme Joseph Bourbeau. Intéressé aux fonctions majeures de l'entreprise, il était l'homme de la planification, des budgets, des systèmes. Il savait écouter et, surtout, canaliser l'enthousiasme de ses collaborateurs dans le pratique, le concret.»

Les commissions parlementaires, remises en pratique par le gouvernement Lesage, deviennent le lieu privilégié d'Hydro-Québec pour rendre compte de son administration, discuter de ses projets et établir la crédibilité et la transparence de l'entreprise sur la place publique. Le président Lessard fait état de son action, défend son administration et l'autonomie d'Hydro-Québec. La presse rapporte, le citoyen prête l'oreille et s'intéresse. Première ouverture significative à l'information de l'entreprise auprès du public.

Plusieurs s'y attendaient mais n'osaient pas y croire: une seconde nationalisation en moins de 20 ans.

L'acquisition des biens des compagnies d'électricité privées, qui étendrait le territoire d'Hydro-Québec à tout le Québec, aura lieu. Le coup d'envoi est donné par le ministre des Richesses naturelles, René Lévesque, dans son discours inaugural de la semaine nationale de l'électricité, le 12 février 1962. Une date à retenir.

Suivra la campagne électorale de l'automne 1962 sur le thème de la nationalisation. «C'est le peuple versus le trust», affirme Jean Lesage. «L'électricité: clef qui nous rendra maîtres chez nous», titre *La Presse* du 1er octobre 1962.

La campagne est dynamique, colorée, dure, et la preuve du «fouillis invraisemblable et coûteux» que constitue, selon le ministre des

C'est le 15 avril 1944 que la Commission hydroélectrique de Québec prend possession des biens de Montreal Light, Heat and Power Consolidated. Dans l'ordre habituel, T.-Damien Bouchard, président d'Hydro-Québec, et ses collègues commissaires: George C. McDonald, Raymond Latreille, L.-Eugène Potvin et John W. McCammon.

Adélard Godbout, premier ministre du Québec au moment où naît Hydro-Québec.

Richesses naturelles, le morcellement du territoire québécois entre les compagnies d'électricité privées est en voie d'être établie. Novembre 1962: le verdict de la population est sans équivoque et favorise le gouvernement. Hydro-Québec prendra officiellement possession des biens des sociétés privées en mai 1963. Cet événement de la plus haute importance dans la vie d'Hydro-Québec et du Québec marque un point tournant: le concept de «maîtres chez nous» est réalisable, la Révolution tranquille devient une option qu'il faut prendre au sérieux. Le nationalisme québécois vient de faire un pas de géant.

Hydro-Québec sera puissante, organisée, crédible. L'entreprise est dorénavant requise de faire la preuve du succès.

LES GRANDS PROJETS PRENNENT FORME

Cette période de 1960 à 1963 est témoin d'un mouvement expansionniste très fort aux États-Unis qui entraîne dans sa foulée le monde occidental. L'influence des États-Unis est déterminante sur Hydro-Québec et on assiste à l'implantation des premières relations Nord-Sud significatives de l'entreprise. La connaissance et l'apprentissage des nouvelles techniques d'administration, l'informatique, les négociations avec les financiers, les éléments des nouvelles technologies sont partiellement ou complètement importés des États-Unis par Hydro-Québec, qui réussit à assurer un heureux dosage entre ce qu'il faut retenir ou écarter, entre «leur» culture et la nôtre. Les relations suivies avec certaines sociétés d'électricité et certains fabricants d'appareillage d'Europe sont également marquantes. Les manufacturiers d'équipement, ceux de Suède par exemple, fourniront plus tard un soutien technique majeur dans la réalisation des lignes de transport à très haute tension.

Les grands travaux d'Hydro-Québec avancent à un rythme accéléré et les projets de l'avenir prennent forme: Beauharnois et Bersimis sont terminés, Manic-Outardes est en marche, la centrale thermique de Tracy sera agrandie. Les négociations du contrat d'énergie des chutes Churchill sont amorcées. On s'interroge sur la qualité du service à la clientèle, et l'étude de la rationalisation du transport et de la distribution de l'électricité dans tout le territoire devient prioritaire.

Hydro-Québec s'installe dans son nouveau siège social, sûre d'elle-même, forte d'un gouvernement qui l'appuie, d'une population qui croit dans son entreprise d'électricité et qui mise sur ses succès. Joseph Bourbeau retient de cette période le poids social énorme qui pesait sur la nouvelle société nationale d'électricité face aux citoyens du Québec. «Le nationalisme québécois avait trouvé dans Hydro-Québec la première manifestation d'une raison d'être concrète et d'une prise de conscience profonde de ce que l'on est, de ce qu'on peut être et de ce qu'on veut être. Il ne pouvait être question de décevoir les Québécois. Nous sentions une pression énorme sur nos choix, nos engagements, nos gestes», rappelle-t-il.

D'un seul coup, du jour au lendemain, la nationalisation de 1963 place Hydro-Québec au rang des grandes sociétés d'électricité du continent. Actif: 2 milliards de dollars; revenus des ventes d'électricité: plus de 200 millions de dollars. La puissance installée de la «nouvelle» Hydro-Québec est de 6 200 mégawatts contre 3 600 la veille, et, dès le 1er mai, 774 000 nouveaux abonnés s'ajoutent aux 589 000 de l'«ancienne» Hydro-Québec. Plus de 1 363 000 abonnés à desservir dans tout le Québec, la production, le transport et la distribution à harmoniser et coordonner, 5 300 employés des filiales à intégrer aux 4 600 permanents d'Hydro-Québec. La nationalisation est accomplie mais, pour la nouvelle entreprise d'électricité, le vrai travail commence.

COMMENT PROVOQUER L'ADHÉSION

Le grand défi du début de la période de 1963 à 1970 est celui de l'intégration des filiales. Il faut créer une entreprise unifiée à partir d'entités distinctes ayant des règles et des traditions en apparence inconciliables. Les concepts divergents d'organisation et d'administration, la disparité des techniques dans les réseaux régionaux, la tarification différente d'une région à l'autre, les relations avec les abonnés, les relations internes, les écarts de rémunération du personnel, la syndicalisation, la langue de travail, les privilèges, les droits acquis, la culture propre à chacune des sociétés, bref, tout concourt à rendre la tâche d'intégration écrasante. Pourtant, on arrivera à s'organiser. On réussira en imposant des décisions-cadres aux effets d'entraînement certains et en posant les gestes quotidiens appropriés qui changeront graduellement le climat interne, aussi bien à l'ancienne Hydro-Québec que dans les sociétés nationalisées.

Le président du conseil, Joseph Bourbeau, est en planification, où il voit bien toutes les difficultés d'intégration d'une entreprise alors en plein essor. Appliquer les freins au développement sous prétexte de mieux intégrer signifiait le désastre, l'incapacité de satisfaire les besoins des abonnés, de faire face aux obligations de l'entreprise. «Le mot d'ordre, dit-il, était de réaliser le plus vite possible l'intégration des nationalisés, de façon civilisée, courtoise, avec le moins de heurts possible. J'étais alors planificateur à la construction et je savais bien qu'il fallait continuer notre bond en avant et en même temps combler les lacunes administratives et techniques de certaines de nos nouvelles filiales. Comment faire éclore la fierté d'Hydro-Québec à partir d'éléments si disparates? Comment, après avoir créé un géant, le mettre vraiment en marche? Car là était le problème. Il fallait travailler vite, sur un plan d'ensemble, se concerter, provoquer l'adhésion.»

Plusieurs décisions administratives vont faciliter l'intégration. La percée et l'implantation graduelle du français comme langue de travail à Hydro-Québec est un de ces gestes significatifs. Commissaires et dirigeants, tels René Dupuis, François Rousseau, Clément Forest, Robert A. Boyd, Jean-Jacques Archambault, Joseph Bourbeau, donnent le ton. On exige les rapports et les documents d'études en français, et peu à peu la langue s'implante. Cette décision était, par son ampleur, une première à l'époque au sein d'une grande entreprise québécoise.

La fusion des unités syndicales de négociation, une planification intégrée dès 1965, la normalisation des techniques de transport et de distribution sont également des actes qui concourent tous à l'intégration harmonieuse des filiales.

Mais la décision majeure et fondamentale de l'intégration est posée par la Commission en 1965: celle de se donner une structure administrative qui forcerait l'unification. Et la seule voie possible dans les circonstances est la centralisation. La décision est appliquée sans délai. Le territoire est divisé en régions administratives dirigées par des directeurs régionaux installés dans leur chef-lieu, et dont on précise les pouvoirs. Ils relèvent d'un directeur général au siège social, encadré d'une équipe fonctionnelle. Robert A. Boyd, premier titulaire du nouveau poste et plus tard président d'Hydro-Québec, dira: «Il faut d'abord centraliser pour pouvoir ensuite décentraliser avec efficacité.»

Toutes les structures administratives sont réorganisées à l'échelle provinciale pour assurer l'uniformisation des méthodes d'exploitation et un meilleur service à la clientèle. Les mutations sont faites en accord avec les intéressés, les promotions sont nombreuses. Le 1er janvier 1966, deux ans et demi après la nationalisation, la «nouvelle» Hydro-Québec provinciale est sur les rails, prête à démontrer aux citoyens québécois que le nationalisme du «maîtres chez nous» est devenu réalité. «La création d'une structure administrative axée sur la centralisation a été une décision d'une portée considérable, une décision courageuse, éclairée, soutient M. Bourbeau. Elle correspondait parfaitement à la solution des problèmes internes et permettait de donner un meilleur service aux abonnés.»

LE MILIEU INTERNE EN EFFERVESCENCE

Québec, un siècle d'électricité[1] décrit la période de 1963 à 1970 comme celle des «flamboyantes années 60». Des années glorieuses, satisfaisantes.

«Souvent entourées d'un langage quasi mythique, relatent les auteurs, les réalisations techniques d'Hydro-Québec retiennent l'attention du public. Les premières mondiales se succèdent et, ici et là à travers le monde, on retrace et on souligne avec envie les exploits d'une entreprise qui n'a pas encore vingt ans d'existence.»

C'est l'épopée de la «Manic» dont on a tant parlé comme symbole du nationalisme québécois, la construction et la mise en service de la première ligne de transport à très haute tension (735 kV), la plus haute tension jamais utilisée jusque-là dans le monde, la création de l'Institut de recherche en électricité du Québec, véritable défi pour un pays de la dimension du Québec, et, enfin, la signature d'un contrat avec Churchill Falls Labrador Corporation, le célèbre contrat des chutes Churchill, source d'énergie considérable pour Hydro-Québec et, plus tard, source de conflits. La timide ouverture de l'entreprise d'avant les années 60 sur le monde extérieur s'est transformée en échanges techniques et en accords de coopération systématiques et permanents. Les horloges d'Hydro-Québec et du Québec sont mises à l'heure du monde contemporain. On

1. *Québec, un siècle d'électricité*, par Clarence Hogue, André Bolduc et Daniel Larouche, Libre Expression, Montréal, 1979.

Le poste Berri.

Travaux à une conduite d'amenée.

vient chez nous aussi souvent qu'Hydro-Québec se déplace vers l'étranger, pour s'émerveiller, apprendre et constater le fantastique bond en avant de l'entreprise. La coopération entre le génie conseil québécois et l'entreprise dans la réalisation des grands travaux à l'étranger est fréquente. Finalement, cette reconnaissance d'Hydro-Québec sur le plan international ouvrira la voie à la création d'Hydro-Québec International en 1978.

Le public interne, dirigeants, cadres et employés, baigne dans un contexte de créativité, de recherche de nouvelles méthodes de gestion et de normalisation des techniques. Climat permissif pour l'époque, qui favorise la communication, l'information par une presse interne articulée, des cours offerts aux cadres et aux employés, des sessions d'études, des séminaires, la formation de groupes de travail multidisciplinaires, un milieu propice à la discussion et à la consultation. L'entreprise mise à fond sur la richesse de ses cerveaux, sur l'identification positive des employés à leur société d'État.

La période des années 60 est marquée également par la croissance d'un syndicalisme de plus en plus puissant qui éventuellement politisera ses problèmes et ira les régler au niveau du gouvernement, ainsi que par la création d'un syndicat d'ingénieurs qui, en 1965, déclenchera la première grève de l'histoire d'Hydro-Québec. «La syndicalisation des ingénieurs fut un moment très difficile dans la vie de l'entreprise, rappelle Joseph Bourbeau. C'était une nouveauté chez les cadres et les professionnels, ainsi que pour les dirigeants. Lorsqu'une entreprise se développe, cela se fait sur tous les plans, syndicalisation y comprise. Il faut apprendre à en accepter les conséquences.»

Bref, les «flamboyantes années 60», c'est l'ère de la connivence entre un public externe informé, fier, satisfait des performances de son entreprise d'électricité et une Hydro-Québec sûre d'elle-même, souvent arrogante et ayant toujours réponse à tout. La «culture hydro-québécoise» s'est formée et établie durant cette période. Mais un certain public dit «éclairé» attendait Hydro-Québec au détour de son cheminement glorieux. Il lui imposera la contestation des années 70 et amènera l'entreprise à mettre en doute son inébranlable confiance en elle.

DE LA BAIE JAMES À LA CONTESTATION

L'image d'infaillibilité qui auréole Hydro-Québec est subitement ternie dès le début des années 70 par la contestation. Le climat d'euphorie commence à s'estomper en 1972, et les heurts successifs causés par la création de la Société d'énergie de la Baie James, à qui le gouvernement confie l'aménagement des rivières de la Baie James, la crise du pétrole en 1973, le mouvement écologiste, l'éclatement de conflits syndicaux et la critique du public, devenu très sévère envers sa société d'électricité, ébranlent Hydro-Québec. La transition entre la décennie sans bavure des années 60 et celle de 70 est si brutale qu'Hydro-Québec ne s'en remettra qu'après 1980.

Dès son lancement, le «projet du siècle» de la Baie James est l'objet de manoeuvres politiques dont le but est d'écarter Hydro-Québec, devenue pour plusieurs un État dans l'État. «Ce fut un coup dur pour tous les gestionnaires, ingénieurs, techniciens et employés que ce projet de loi 50 créant la Société de développement de la Baie James et, par voie de conséquence, la Société d'énergie de la Baie James. Ils avaient fait leurs preuves à Bersimis, à Carillon, à Manic-Outardes, démontrant amplement leur capacité de réaliser des grands ouvrages hydroélectriques, et, sans crier gare, la SEBJ entre en scène et les écarte, raconte Joseph Bour-

René Lévesque à Sept-Îles au cours de la campagne électorale de 1962 qui se déroula sous le thème de la nationalisation.

beau. Le personnel a mis beaucoup de temps à se remettre de ce choc et certains ne s'en sont jamais relevés.» Éventuellement, Hydro-Québec deviendra l'unique actionnaire de la Société d'énergie de la Baie James et aura ainsi dans les faits la responsabilité des travaux. Le projet sera réhabilité mais la confusion initiale autour de son lancement entretiendra toujours une certaine ambiguïté aux yeux des publics interne et externe, sapant la crédibilité et le prestige d'Hydro-Québec, ainsi que la cohésion interne.

Le projet de la Baie James reste, néanmoins, le plus fabuleux d'Hydro-Québec et de sa filiale, la SEBJ, et marquera les années 70. Des milliers de travailleurs, 18 000 à la pointe des travaux, mettront 14 ans pour livrer à Hydro-Québec les ouvrages du complexe La Grande, phase I, soit LG-2 avec ses 5 328 mégawatts, LG-3 et ses 2 304 mégawatts, et LG-4 qui produira 2 650 mégawatts, soit 10 282 mégawatts de puissance qui s'ajoutent au réseau d'Hydro-Québec. Avec ses 5 000 kilomètres de lignes de transport à 735 kilovolts, ses postes de transportation et ses réseaux de télécommunication, c'est 14,6 milliards de dollars qui seront investis dans le projet. L'impact, en termes de retombées économiques, est énorme; l'expérience et le savoir-faire acquis, inégalés. La Baie James sera vraisemblablement le dernier mégaprojet d'Hydro-Québec.

À peine remise du choc de la Baie James, Hydro-Québec, comme toute la société occidentale, doit faire face à la crise du pétrole, qui occasionnera au Québec une récession sans conséquence majeure pour l'entreprise, suivie d'une vraie quelques années plus tard. Le contexte industriel particulier du Québec, caractérisé par une industrie secondaire faible par rapport à celle de l'Ontario et des États-Unis, évite une décroissance brutale et immédiate. Mais, peu à peu, les industries réduisent leurs investissements, provoquent des mises à pied massives, diminuent leur consommation d'énergie. Directement affecté, le consommateur perd confiance, se replie et attend. C'est la crise, terme jusqu'alors inconnu des jeunes d'aujourd'hui, sauf par la chronique et les souvenirs des anciens. Pour la première fois de son histoire, Hydro-Québec est aux prises avec le problème de la disposition de surplus considérables d'électricité.

Le choc brutal de la crise du pétrole et ses séquelles, les intentions gouvernementales relatives aux diverses formes d'énergie, la nouvelle concurrence du gaz et les programmes d'économie de l'énergie placent Hydro-Québec en face d'un défi inattendu. Il faut trouver des marchés, vendre à tout prix, car la Baie James produira beaucoup. Le milieu interne est ébranlé. C'est vers l'exportation d'énergie aux Américains et la recherche de nouveaux marchés internes québécois que l'entreprise se tournera éventuellement.

LES ÉCOLOGISTES IMPOSENT LEURS VUES

Si la première contestation d'Hydro-Québec des années 70 est venue du gouvernement, celle qui suivra, beaucoup plus large et dévastatrice, sera entreprise par son public même. Le coup d'envoi est donné par un groupe de citoyens au sujet de l'aménagement d'une centrale à accumulation par pompage sur la rivière Jacques-Cartier, près de Québec. Les conséquences de l'implantation de cet ouvrage sont jugées considérables sur l'environnement par les écologistes puisqu'il inonderait une partie du parc des Laurentides et causerait des dommages irréparables à l'un des sites naturels les plus séduisants du Québec. Les écologistes partent en guerre, témoignent en Commission parlementaire et suscitent l'adhésion de groupes sociaux contre le projet. Hydro-Québec se défend mal et, confondue, elle décide de quitter d'elle-même la Jacques-Cartier avant de subir l'humiliation d'en être chassée. Les contestataires ont gagné contre le géant en marche. «Nous avons accumulé les erreurs dans ce projet, constate aujourd'hui le président du conseil d'Hydro-Québec. Communication insuffisante, aucune consultation, incohérence de notre discours. Je me demandais, suite à notre retraite des lieux, si la leçon serait comprise chez nous. Nous étions si sûrs de nous et convaincus du bien-fondé du projet.» D'autres contestations suivront, organisées par des environnementalistes et des citoyens, sur le choix des tracés de lignes de transport d'énergie, sur le nucléaire. Peu à peu, Hydro-Québec perdra beaucoup de ses illusions sur son complexe d'infaillibilité.

Bref, la période de 1970 à 1980 est celle des années difficiles qui mettent Hydro-Québec à rude épreuve. La Baie James se construit avec le sentiment qu'Hydro-Québec n'est pas le chef d'orchestre. Les prévisionnistes de la demande d'électricité voient clair et concluent à une certaine décroissance. Hydro-Québec fait ses classes pour apprendre à connaître ses publics contestataires et à leur démontrer jusqu'où elle peut céder tout en donnant les services requis à la clientèle et en comblant les besoins d'exportation d'énergie. C'est l'adaptation à l'évolution du milieu, la recherche de l'équilibre entre les intérêts particuliers et ceux de l'entreprise.

Un Livre blanc sur la politique énergétique québécoise, déposé fin 1977, modifie les règles du jeu par rapport à la concurrence. Sur le plan interne de la haute direction, d'autre part, un conseil d'administration de onze membres remplace en octobre 1978 la Commission hydroélectrique de Québec, en vertu de la loi 41. La SEBJ devient alors une société de gérance de travaux pour le compte d'Hydro-Québec. Le complexe Manic-Outardes est complété avec la mise en service d'Outardes 2 en 1978, et, dès l'année suivante, les premiers groupes à LG-2 sont en marche et alimentent le réseau, prenant ainsi la relève du groupe nucléaire Gentilly 2 qui accuse déjà un retard.

VERS UNE HYDRO-QUÉBEC RENOUVELÉE

L'année 1980 a marqué la fin de la période expansionniste. La qualité du service, la communication avec l'abonné deviennent prioritaires par rapport aux grands projets, dont plusieurs sont reportés, et d'autres, abandonnés. Le climat interne subit un certain flottement dû à l'incompréhension du nouveau contexte, et ce n'est effectivement qu'en 1982 que les employés prendront conscience des changements profonds auxquels l'entreprise doit faire face.

C'est aussi la fin du climat dit de «permissivité» et le début de ce que le personnel voit comme un certain autoritarisme, un retour à la discipline, un ajustement à la nouvelle réalité. «L'image d'entreprise doit changer, soutient M. Bourbeau. Les concepts véhiculés, de grand bâtisseur et de «vaisseau amiral de l'économie québécoise», doivent faire place à celui de l'entreprise commerciale soucieuse de ses abonnés, de son public, des ventes, des budgets équilibrés. Les publics sont consultés sur les implantations des équipements de façon plus articulée, plus réaliste, mais nous commettons encore des erreurs stratégiques. L'entreprise a tout avantage à se montrer ouverte aux opinions, davantage polyvalente dans son discours public.»

L'implantation des grands systèmes et des budgets qui tiennent compte du contexte de décroissance a suivi les changements récents à la haute direction. L'entreprise se donne une philosophie de gestion, révise ses concepts de base, et elle essaie d'avoir prise sur un climat interne qui risque toujours de se détériorer en période de mutation. Les «Hydro-Québécois» sentent que leur ancienne «culture» leur échappe, celle des années glorieuses et de la dernière décennie. Le nouveau président-directeur général, Guy Coulombe, occupe son poste au début de 1982 et il proposera au conseil d'administration les solutions appropriées aux problèmes pressants. Et, subitement, tout est pressant.

Telle est l'image d'Hydro-Québec à la fin de 1982. Deux ans plus tard, elle aura trouvé un nouveau souffle. «Finalement, la crise qui s'estompe présentement aura eu un effet bénéfique sur l'entreprise, affirme Joseph Bourbeau. Nous repartons à neuf, convaincus que cela nous permettra de demeurer à la fine pointe du succès. C'est ce que les Québécois attendent de nous.»

SOURCES: Clarence Hogue, André Bolduc, Daniel Larouche, *Québec, un siècle d'électricité*, Libre Expression, Montréal, 1979.
Société d'énergie de la Baie James, *Rapport d'activité 1982*.
Société d'énergie de la Baie James, *D'un rêve à la réalité: Le complexe de La Grande — Phase 1*, 1983.
Roger Lacasse, *Baie James, une épopée*, Libre Expression, Montréal, 1983.
Forces, «Spécial Churchill Falls», 57-58, 1981-82, pp. 2-100.

Au moment de la nationalisation de la Montreal Light, Heat and Power Consolidated, Hydro-Québec hérite de quatre centrales: Beauharnois (première section), Rivière-des-Prairies, Les Cèdres et Chambly (ci-haut et ci-contre) dont la production avait débuté en 1899.

La centrale Les Cèdres, qui fait face à la centrale Saint-Timothée, avait été construite sous la direction d'ingénieurs de Shawinigan Water and Power Company et de Montreal Light, Heat and Power Company et inaugurée en janvier 1915.

Achevée en 1930, la centrale Rivière-des-Prairies avait une puissance de 45 000 kW.

La centrale Beauharnois construite en trois étapes. Héritée par Hydro-Québec en 1944, on y aménageait la deuxième section au début des années 50, et la troisième section à la fin de la même décennie.

Hydro-Québec et l'État

Roland Parenteau,
professeur titulaire,
École des Hautes Études commerciales

L'histoire des relations entre Hydro-Québec et le gouvernement est typique de l'évolution des politiques économiques de l'État québécois. Conçue à l'origine comme un moyen de mettre à la raison le «trust» de l'électricité, dont on avait abondamment démontré les méfaits, et en particulier l'exploitation du consommateur, Hydro-Québec est devenue graduellement un instrument privilégié de politique économique, dont le rôle ne se bornait donc plus à la fourniture d'électricité au plus bas prix aux diverses catégories de clients.

La deuxième naissance d'Hydro-Québec, en 1962, a coïncidé, au niveau du gouvernement du Québec, avec l'élaboration, timide d'abord, puis de plus en plus articulée, d'une politique de développement économique, dont Hydro-Québec n'était en somme qu'un instrument parmi d'autres. Plus tard, au cours des années 70, s'est implantée graduellement une politique énergétique, dont Hydro-Québec devait fatalement être une pièce maîtresse, étant donné la dotation exceptionnelle du territoire en houille blanche.

Le rôle joué par Hydro-Québec dans cette évolution a varié beaucoup au cours des années. En simplifiant quelque peu, on peut dire que si, du point de vue des opérations proprement dites, l'importance de l'entreprise est allée en s'accroissant au cours des années comme entreprise de production et de distribution, il n'en va pas de même de son rôle dans l'élaboration des politiques énergétiques. Il fut une époque, en effet, où le principal définisseur de situation était Hydro-Québec, le gouvernement du Québec ne possédant tout simplement pas l'expertise qui lui aurait permis de prendre les devants.

Graduellement cependant, le gouvernement s'est donné les moyens de formuler une politique énergétique cohérente, via d'abord le ministère des Richesses naturelles puis celui de l'Énergie et des Ressources. Il était normal que, même alors, Hydro-Québec joue un rôle majeur dans les orientations de la politique, mais on a vu de plus en plus de cas où les objectifs organisationnels de l'entreprise ne correspondaient pas à ceux du gouvernement. Cette tension s'est manifestée de façon évidente lors de la révision des tarifs de 1981. Toutefois, même si, au cours des dernières années, les relations entre le gouvernement et «sa» société d'État n'ont pas toujours été au beau fixe, on sent plus récemment une identité de vues beaucoup plus évidente, et cela malgré la persistance de certaines ambiguïtés. Ceci manifeste peut-être l'atteinte d'un certain équilibre stable entre les deux pôles «autonomie—contrôle», problème qui représente toujours des situations délicates dans les relations entre l'État et ses entreprises publiques.

Les pages qui suivent exposent divers aspects majeurs de l'intervention de l'État. Y sont analysés le mandat ou la tâche confiée à l'entreprise dans le cadre de la politique gouvernementale pertinente, l'intervention de l'État dans la gestion par le truchement en particulier de la nomination des dirigeants de l'entreprise, et la manière dont l'État intervient dans le financement de la Société et dans la politique de prix (tarification). Mais tout d'abord, quelques mots de l'attitude générale du gouvernement du Québec à l'égard de l'ensemble de ses sociétés d'État.

UNE ENTREPRISE PARMI D'AUTRES

En effet, les relations entre l'État et Hydro-Québec sont extrêmement complexes. Elles posent le dilemme que l'on retrouve chaque fois que l'État juge à propos de créer un organisme autonome pour l'exécution de certaines tâches. D'une part, en effet, on doit s'attendre à ce que la «créature» non seulement respecte le mandat qui lui a été confié mais déploie ses activités en conformité avec les diverses politiques énoncées par le gouvernement dans quelque domaine que ce soit. Pour cela, il ne suffit pas que la loi énonce les pouvoirs de l'organisme. Il faut aussi que l'État se donne des moyens de contrôle plus ou moins stricts. Par contre, le fonctionnement efficace de la société postule une grande liberté d'action afin d'éviter que l'esprit bureaucratique n'intervienne de façon intempestive ou mal avisée dans la gestion au jour le jour de l'entreprise.

Si l'on prend l'ensemble des sociétés d'État du Québec, on se rend compte que leur situation à cet égard varie considérablement de l'une à l'autre, certaines étant, à toutes fins utiles, l'équivalent d'un service gouvernemental. Dans tous les cas, ce sont les pouvoirs publics eux-mêmes qui définissent l'état de ces relations. Depuis une vingtaine d'années, on est passé graduellement, au Québec, d'une conception britannique d'entreprise publique à une conception française. Ceci est allé de pair avec la multiplication de ces entreprises et avec l'émergence d'une politique économique plus cohérente et plus interventionniste.

Dans le premier cas, celui de la «société de la Couronne», elle se voit confier le mandat le plus précis possible et on la coiffe d'un conseil d'administration en qui on place toute sa confiance. Par la suite, on laisse le maximum d'autonomie à l'organisme, n'intervenant qu'en cas de crise et laissant l'opinion publique, via le Parlement, exercer une pression sur elle.

L'autre conception considère la société d'État comme un instrument d'une politique gouvernementale active et par conséquent ouvre la porte à toutes sortes d'interventions, les unes d'allure générale, comme les contrôles d'opportunité par exemple, les autres visant des opérations beaucoup plus particulières. Hydro-Québec, pour sa part, la doyenne et la «grande dame» des sociétés d'État québécoises, est passée non sans mal d'une situation à l'autre au cours des 15 dernières années.

LE MANDAT D'HYDRO-QUÉBEC

La mission initiale confiée à Hydro-Québec en 1944 était de distribuer l'énergie[1] aux divers usagers aux prix les plus bas, compatibles avec une saine gestion financière. Le gouvernement d'alors nationalisait à cette fin les actifs de Montreal Light, Heat and Power et de ses filiales. Ajoutons que si on donnait à Hydro-Québec le pouvoir général d'exproprier les ressources hydrauliques et les installations de transformation sur tout le territoire, l'exercice de ce pouvoir était subordonné à l'approbation du gouvernement. Celui-ci adopta longtemps une attitude restrictive et, par conséquent, il n'y eut que la région montréalaise et l'Abitibi qui purent alors bénéficier de la nationalisation. Le reste de la province a dû attendre près de 20 ans pour voir l'opération complétée. Il faut dire que la première nationalisation avait été l'oeuvre du gouvernement libéral d'Adélard Godbout et ce n'est qu'avec le retour au pouvoir des libéraux en 1960 que le gouvernement a nationalisé presque tout le reste.

Pendant longtemps, la mission d'Hydro-Québec n'a pas varié, mais lorsque le gouvernement du Québec a commencé à s'intéresser au développement économique de façon active, ce qui l'a par ailleurs amené à créer successivement toute une série de sociétés d'État (Société générale de financement, Caisse de dépôts et de placements, Soquia, Soquem, etc.), il ne pouvait laisser de côté Hydro-Québec. D'ailleurs, parmi les arguments utilisés pour justifier en 1962 la nationalisation des dix plus importantes compagnies d'électricité qui subsistaient, on en trouve plusieurs de nature économique: économie dans les coûts de distribution par l'intégration des réseaux de transport d'électricité; abaissement des

1. Notons que l'on disait «énergie» et non «électricité», ce qui donnait à Hydro-Québec une mission passablement large, comme on le verra plus loin.

tarifs dans les régions périphériques; exemption des taxes payées auparavant au Fédéral par les entreprises privées; possibilité de pratiquer des tarifs préférentiels pour attirer les industries grosses consommatrices d'électricité.

Il faut noter toutefois qu'en tant que service public ayant vocation de fournir l'électricité à la population sans discrimination, Hydro-Québec ne poursuit pas comme objectif essentiel la promotion du développement économique. Ce n'est donc qu'accessoirement, du fait de sa grande dimension et aussi de la nature de ses activités, qu'elle peut être perçue comme un instrument de développement, car elle génère tout de même des retombées économiques nombreuses et variées, notamment à travers ses gigantesques investissements.

Ce n'est d'ailleurs que progressivement qu'on a réussi à définir pleinement la contribution d'Hydro-Québec au développement économique, cette initiative étant d'ailleurs attribuable beaucoup plus au gouvernement qu'à l'entreprise elle-même. Ce sont des textes comme *La Politique québécoise de l'énergie: assurer l'avenir* (1978) ou *Bâtir le Québec* (1979) qui ont le mieux exposé les orientations. Tout cela d'ailleurs reposait sur une prévision de croissance soutenue de la demande et par conséquent des investissements devant atteindre les 55 milliards de dollars entre 1981 et 1990[2]. On sait ce qui est advenu de ces prévisions récemment, de sorte qu'on a dû modérer considérablement l'espoir qu'on avait placé dans Hydro-Québec à ce chapitre.

Mais sa contribution à l'économie ne se limite pas aux effets des grands travaux sur l'emploi, les commandes de matériaux de construction et d'équipements, le recours à l'expertise des firmes d'ingénieurs. On sait d'ailleurs qu'à cet égard Hydro-Québec poursuit depuis une vingtaine d'années, de sa propre initiative, une politique de préférence à l'égard des produits et services du Québec.

Même au niveau des opérations courantes, Hydro-Québec est un très gros emprunteur de capitaux et un très gros employeur de main-d'oeuvre souvent hautement qualifiée. C'est aussi un très gros acheteur. Son personnel est passé de 9 900 en 1963 à 19 900 en 1982, son actif de 2 milliards à 23 milliards de dollars pendant la même période et ses ventes de 26 milliards à 103 milliards de kWh.

Enfin, facteur non négligeable, les approvisionnements sûrs, abondants et peu coûteux d'électricité qu'Hydro-Québec est en mesure de fournir constituent un élément important d'attraction industrielle, notamment pour l'industrie électro-chimique et l'industrie électro-métallurgique.

Un gouvernement soucieux non seulement de se faire le promoteur du développement mais de s'assurer que les francophones du Québec y auraient une part adéquate ne pouvait pas s'abstenir de s'assurer un plus grand contrôle sur un agent de cette taille. Ce contrôle a pris plusieurs formes qui sont décrites brièvement plus loin. Mais d'abord, quelques mots de la politique énergétique du gouvernement du Québec.

LA POLITIQUE ÉNERGÉTIQUE

En effet, c'est en se donnant une politique énergétique que le gouvernement du Québec pouvait le plus efficacement intervenir dans les orientations d'Hydro-Québec en subordonnant ainsi ses relations avec la société d'État à un cadre rationnel préétabli qui lui permettait en particulier de réaliser des arbitrages dans le partage entre les diverses sources d'énergie.

Une première expression de politique énergétique a vu le jour en

2. Hydro-Québec, *Plan de développement d'Hydro-Québec, 1983-1985, Horizon 1992*, p. 6.

1972, à la veille des bouleversements créés par la crise pétrolière de 1973[3]. Le pétrole importé étant alors abondant et bon marché, les objectifs de la politique ne privilégiaient pas alors l'électricité, laissant aux consommateurs le soin de faire le choix, selon leurs besoins, entre les trois principales formes d'énergie: électricité (source québécoise), gaz (source canadienne), pétrole (source importée). Tout au plus, le gouvernement tenait-il, grâce à divers instruments d'intervention, à favoriser la «vérité des prix», c'est-à-dire faire en sorte que chaque forme d'énergie se vende à son coût réel.

À cette époque, Hydro-Québec achevait l'intégration des compagnies privées absorbées en 1963 et lançait un vaste programme d'investissement dans la région de la Baie James. On peut affirmer que cette première expression de politique énergétique, si elle se révélait le prélude à un certain partage des tâches entre quelques sociétés d'État et surtout marquait l'émergence d'une véritable direction de l'Énergie à l'intérieur du gouvernement, n'a pas modifié sensiblement les relations entre Hydro-Québec et le gouvernement. Les échanges consistaient essentiellement en discussions préalables aux nombreuses autorisations requises surtout pour le fonctionnement courant de l'entreprise. Il n'est pas exagéré de dire que, même dans les cas où des stratégies importantes étaient en cause (par exemple Churchill Falls), le déséquilibre entre les partenaires penchait en faveur d'Hydro-Québec.

Un événement capital fut sans conteste la publication, en 1978, du Livre blanc sur la politique énergétique. C'est à ce moment qu'on présenta comme objectifs prioritaires les économies d'énergies, la promotion des énergies nouvelles et surtout l'expansion du gaz naturel d'origine albertaine. Ainsi, le souci d'échapper quelque peu à la domination du pétrole amenait le Québec à se tourner vers une source canadienne d'hydrocarbures, mais en même temps contestait en quelque sorte la position privilégiée, quoique non dominante, de la houille blanche.

La nouvelle attitude gouvernementale s'est exprimée, dans la révision de la loi d'Hydro-Québec, par une référence explicite à la politique énergétique: «La Société prévoit les besoins du Québec en énergie et les moyens de les satisfaire dans le cadre des politiques énergétiques que le gouvernement peut, par ailleurs, établir[4].»

Les propositions du document de 1978 allaient être reprises par un document de portée encore plus large paru l'année suivante, *Bâtir le Québec*. On y explore diverses avenues de développement industriel, en particulier la création d'industries fortes consommatrices d'électricité. Ceci amène le gouvernement à donner une place de choix à l'électricité comme facteur de localisation industrielle et à valoriser ainsi Hydro-Québec. Mais, du même coup, on subordonne la politique énergétique à la politique économique.

Cet effort toutefois s'accompagne, en contrepartie, du désir de l'État de se réserver le contrôle de la situation et de considérer en particulier Hydro-Québec comme un instrument de cette politique, ce qui ne pouvait qu'affecter l'autonomie traditionnelle de la Société. L'État ne manque d'ailleurs pas de moyens pour intervenir, grâce à la panoplie d'autorisations de toutes sortes dont la Société a sans cesse besoin. Un autre instrument qu'on a utilisé avec de plus en plus de succès au cours des dernières années fut la comparution annuelle en commission parlementaire.

Il faut ajouter qu'à l'époque l'avenir de l'électricité s'annonçait très brillant, à cause de ses avantages relatifs par rapport aux autres sources d'énergie. De même sur le plan quantitatif, les prévisions de demande étaient très élevées à l'époque. Par la suite cependant, on a été forcé de réviser radicalement les prévisions à la baisse, ce qui allait nécessairement affecter les programmes d'investissements et, par ricochet, les relations

3. La réflexion du gouvernement avait cependant débuté bien avant, comme en témoigne un excellent mémoire préparé par la direction générale de la planification du ministère des Richesses naturelles en décembre 1967.
4. Bill 41, 1978, art. 22.1.

d'Hydro-Québec avec le gouvernement.

Le bill 16 de 1981 allait compléter la réforme amorcée par le bill 41 de 1978, mais sans changer sensiblement les orientations de politique. Si l'on met de côté la nouvelle disposition concernant les dividendes, laquelle a alors monopolisé l'attention et dont il sera question plus loin, on peut dire que les modifications à la loi ne faisaient que rendre celle-ci conforme à la pratique déjà établie.

C'est ainsi qu'on supprime le bout de phrase «aux prix les plus bas» d'un article de la loi qui commençait à devenir gênant, compte tenu des profits constants d'Hydro-Québec, profits qui atteignaient même à ce moment les trois quarts de milliard de dollars. Désormais, la seule obligation qui restait à Hydro-Québec sous ce rapport était de constituer des réserves raisonnables. Elle était donc autorisée à pratiquer une politique de prix susceptible d'atténuer la surconsommation d'électricité, et cela au risque de voir ses bénéfices s'accroître davantage. Peut-être d'ailleurs doit-on voir là l'origine du projet gouvernemental d'exercer des prélèvements croissants sous forme de dividendes.

Une autre modification importante, indiquant un changement de politique, concerne la tarification. Alors qu'auparavant les tarifs devaient être calculés d'après la loi selon les coûts de chaque grande catégorie d'usagers, ce qui laissait la porte ouverte à la surtarification de certaines catégories d'usagers au bénéfice de certaines autres, on exige désormais que l'équilibre soit réalisé pour l'ensemble des opérations.

LES EFFETS DE LA POLITIQUE ÉNERGÉTIQUE SUR LES RELATIONS ÉTAT/HYDRO-QUÉBEC

Comment cette politique s'est-elle concrétisée à l'égard d'Hydro-Québec? D'abord, assez paradoxalement puisqu'on privilégiait l'électricité devenue source d'énergie relativement peu coûteuse, le gouvernement a réduit le domaine d'intervention d'Hydro-Québec, la cantonnant dans sa vocation de spécialiste en hydroélectricité. En deuxième lieu, il l'a forcée en quelque sorte à se faire l'agent d'exécution de la politique d'économie d'énergie, ce qui pouvait aller à l'encontre des objectifs organisationnels de croissance de l'entreprise. Troisièmement, il lui a imposé de nouveaux principes de politique tarifaire, de nature à attirer des entreprises nouvelles au Québec. Il a enfin, à une date plus récente, décidé de prélever des sommes considérables à même les bénéfices de l'entreprise, réduisant d'autant sa capacité d'autofinancement.

Il est remarquable de constater que cette politique n'impliquait que peu d'instruments d'intervention nouveaux, sauf les quelques amendements et additions mentionnés précédemment. Ce qui est nouveau, c'est l'esprit dans lequel les instruments sont utilisés. En d'autres termes, le gouvernement possède désormais des objectifs généraux qui peuvent, à l'occasion, se révéler différents des objectifs organisationnels d'Hydro-Québec. Cette évolution dans les relations avec l'entreprise trouve son parallèle, d'ailleurs, dans les relations avec les autres entreprises publiques. C'est l'époque, en effet, où le gouvernement se donne un pouvoir de directive à l'égard des sociétés d'État, et où, de plus, il exige d'elles la présentation de plans de développement, susceptibles de provoquer une discussion de fond sur leurs orientations spécifiques.

En ce qui concerne le domaine d'Hydro-Québec, la loi de 1944 était assez libérale puisqu'elle définissait le terme «énergie» comme incluant «l'électricité, le gaz, la vapeur et toute autre forme d'énergie, hydraulique, thermique ou autre». Il s'agissait ainsi d'un monopole conféré à une société qui se voyait investie non seulement de la tâche de fournir l'énergie aux clients, mais, indirectement, de déterminer quelles seraient les

formes les plus appropriées, et les sources à exploiter. Ceci revenait à confier en fait au même organisme la tâche de définir la politique énergétique, bien qu'à l'époque on ne parlât pas vraiment de politique énergétique, pas plus d'ailleurs que de politique de développement économique. Or, voici qu'en 1978 Hydro-Québec se voyait confirmée dans son monopole de production et de distribution de l'électricité, où elle avait acquis une expertise reconnue mondialement, mais d'autres entreprises allaient s'intéresser à d'autres formes d'énergie, et en particulier Soquip, en ce qui concerne la distribution du gaz naturel, et Nouveler, pour les énergies nouvelles (ou plus précisément «redécouvertes»), où Hydro-Québec n'est qu'un partenaire parmi quatre sociétés d'État. Quant à l'énergie nucléaire, à laquelle Hydro-Québec s'était déjà intéressée, on ne sait trop, à la suite du moratoire imposé par le gouvernement, qui en aura la charge. Ce qui est certain, en tout cas, c'est que la politique énergétique d'ensemble est résolument prise en charge par le gouvernement lui-même.

Parmi les nombreux points entre le gouvernement et Hydro-Québec, trois ont fait l'objet de modifications substantielles en 1978: il s'agit de la direction de l'entreprise, de la tarification et du financement et de la fiscalité.

«L'État ne manque pas de moyens pour intervenir, grâce à la panoplie d'autorisations de toutes sortes dont la Société a sans cesse besoin. Un autre instrument qu'on a utilisé avec de plus en plus de succès au cours des dernières années fut la comparution annuelle en commission parlementaire.»

LE GOUVERNEMENT ET LA DIRECTION D'HYDRO-QUÉBEC

Pendant très longtemps, il n'y a pas eu, à toutes fins utiles, d'intervention gouvernementale dans l'administration d'Hydro-Québec. La loi prévoyait bien toute une série de mesures de contrôle qui nécessitaient l'approbation du conseil des ministres, mais il s'agissait de décisions plutôt routinières, comme des achats de terrain, les constructions d'immeubles, les emprunts, etc. En fait, les approbations étaient devenues presque automatiques, faute d'expertise de la part du gouvernement pour pouvoir porter un jugement valable, même lorsqu'il s'agissait de questions vraiment importantes. Les problèmes se réglaient, en pratique, entre le président d'Hydro-Québec et le ministre de tutelle ou même le Premier ministre.

Toutefois, il appartenait au gouvernement de nommer les cinq commissaires. Ceux-ci étaient nommés pour 10 ans, ils devenaient des cadres à plein temps de l'entreprise, et certains d'entre eux émanaient même du personnel-cadre d'Hydro-Québec. C'est donc dire qu'ils étaient avant tout des gestionnaires préoccupés de la rentabilité et de la bonne organisation de l'entreprise. Il ne fallait pas s'attendre à ce qu'ils se fassent les porte-parole des orientations gouvernementales, et cela d'autant plus qu'il n'existait à Québec, à l'époque, que des velléités de politique.

Les relations avec les organismes gouvernementaux étaient cependant nombreuses et variées puisque Hydro-Québec, selon la question en cause, pouvait tout aussi bien dialoguer avec les fonctionnaires des Terres et Forêts qu'avec ceux de la Voirie, des Richesses naturelles, des Finances et, plus tard, de l'Environnement, et cela sans que les exigences gouvernementales ne soient coordonnées au niveau d'une direction centrale. Les difficultés de la situation ont été très bien décrites dans le document de 1967 émanant du ministère des Richesses naturelles[5].

C'est ce qu'on a voulu corriger en créant la Direction générale de l'énergie, où devait être concentrée l'expertise gouvernementale en la matière. Cette direction s'est progressivement renforcée, au point d'être en mesure de proposer, en 1978, dans l'ouvrage *Assurer l'avenir*, une véritable politique énergétique. Cette direction générale fait désormais partie du ministère de l'Énergie et des Ressources.

Mais le gouvernement ne s'est pas limité à modifier ses propres structures. Il a voulu aussi changer celles d'Hydro-Québec, pour y introduire un conseil d'administration composé en grande partie de citoyens de l'extérieur et présidé par une personne distincte du président-directeur général. On introduisait ainsi dans l'organisme le principe de la dualité, qu'on retrouve dans beaucoup d'entreprises privées et dans la plupart des entreprises publiques. On s'écartait donc de la tendance traditionnelle à Hydro-Québec, selon laquelle le renouvellement des cadres supérieurs se faisait par l'intérieur. Cette tendance, inspirée du modèle technocratique de gestion, qui avait pu donner de bons résultats à l'époque où ce que l'on demandait à Hydro-Québec était essentiellement une bonne gestion et une parfaite maîtrise de sa technologie propre, devenait de moins en moins tolérable au moment où le dialogue avec l'État et les relations avec l'opinion publique prenaient des dimensions considérables.

C'est d'ailleurs en suivant la même logique que le gouvernement a nommé récemment à la tête de l'administration interne de l'entreprise un PDG qui n'émanait pas du milieu organisationnel d'Hydro-Québec, mais qui avait fait toute sa carrière dans l'administration publique. À l'heure actuelle, assez paradoxalement, c'est le président du Conseil qui vient de l'intérieur et le principal exécutif qui vient de l'extérieur. Tous ces gestes s'inspirent du même souci d'intégrer davantage Hydro-Québec aux préoccupations et aux orientations de la société québécoise. Il faut se rendre compte, toutefois, que de telles décisions devaient fatalement créer certains remous au sein de l'entreprise en changeant l'équilibre des forces.

LE GOUVERNEMENT ET LA TARIFICATION

Hydro-Québec ayant été créée essentiellement pour permettre aux consommateurs de bénéficier d'électricité à bon marché, la tarification est un problème névralgique auquel le gouvernement devait forcément s'intéresser.

Les deux principaux objectifs de la création, et plus tard de l'extension de l'entreprise, étant l'uniformisation des prix de l'électricité sur tout le territoire de même que leur maintien au plus bas niveau possible, il

5. *Nécessité et contenu d'une politique énergétique québécoise*, Direction de la planification, décembre 1967, pp. 6-8.

Exploiter à fond les ressources hydroélectriques du territoire québécois signifie pour Hydro-Québec de mener à terme des projets géants, aussi bien que d'aménager des rivières à plus faible potentiel.

Le chantier de LG-3.

*La centrale
Chute-Garneau*

s'ensuivait l'obligation, pour le gouvernement, de s'assurer qu'Hydro-Québec respecte ces orientations, et, à vrai dire, pendant longtemps, cela n'a pas posé de problèmes. Ce n'est qu'autour de 1975 que la tarification a commencé à susciter des divergences de vues, au point que les relations entre le gouvernement et son entreprise ont atteint au cours des dernières années un état de tension inusité.

Il faut dire qu'entre 1944 et 1967, après une première baisse des tarifs, ceux-ci sont restés stables, malgré l'augmentation des autres prix. En 1963, après la deuxième nationalisation, on assista même à une réduction pour la plupart des usagers des anciennes entreprises privées.

L'objectif du gouvernement était alors assez clair. Comme l'indique la loi de 1964, qui n'avait pas substantiellement modifié celle de 1944, la Commission avait «pour objet de fournir l'énergie aux municipalités, aux entreprises industrielles et commerciales et aux citoyens [...] aux taux les plus bas compatibles avec une saine gestion financière».

«Elle [devait] établir le tarif applicable à chaque catégorie d'usagers suivant le coût réel du service fourni à cette catégorie en autant que cela est pratique.» En conséquence, tous les règlements de la Commission fixant les tarifs, de même que tous les contrats spéciaux négociés avec certains usagers importants, devaient être approuvés par le gouvernement. Il ne semble pas qu'il y ait eu de difficulté de ce côté-là pendant de nombreuses années, ainsi que le mentionne le président d'Hydro-Québec, Monsieur Giroux, dans le rapport annuel de 1976.

À partir de 1975, les tarifs se sont mis à augmenter à la demande d'Hydro-Québec. Pendant trois ans, l'augmentation annuelle a été de 10%. Parmi les facteurs mentionnés par le président d'Hydro-Québec, Monsieur Boyd, mentionnons «l'éloignement des sites aménageables, l'inflation, l'importance [du] programme d'équipement, l'augmentation des frais d'exportation associés aux exigences du marché financier, et plus récemment le comportement du Dollar canadien sur le marché des changes [...]». Pourtant, en dépit de ces facteurs réels de hausses de coûts, les profits d'Hydro-Québec continuaient d'être très confortables et auraient normalement incité le gouvernement à refuser les hausses pour respecter l'esprit de la loi.

On peut donc se demander si c'est par simple inertie qu'il a prêté une oreille favorable à des demandes de hausse. La réponse, c'est que les modifications en cause étaient conformes à plusieurs aspects de sa politique énergétique, elle-même tributaire de la politique économique.

En premier lieu, en augmentant les tarifs, on accroissait des profits déjà importants[6] variant de 310 millions à 746 millions de dollars entre 1976 et 1980, mais on permettait un plus fort autofinancement à une période de rapide croissance des actifs et alors que le gouvernement lui-même éprouvait un besoin croissant d'emprunter.

On respectait un des objectifs de la politique énergétique, énoncé en 1978, selon lequel il fallait ralentir la consommation d'énergie et permettre donc une hausse progressive de tarifs considérés comme très bas.

On préparait la voie, consciemment ou non, à la loi de 1981 qui allait amener le gouvernement à prélever dans les coffres d'Hydro-Québec des sommes non négligeables sous forme de dividendes et de taxe sur le capital, sans compter les sommes qu'on voulait redistribuer aux municipalités sous forme de prélèvement fiscal.

C'est le conseil des ministres qui, à sa séance du 19 octobre 1977, sur la proposition du ministre délégué à l'Énergie, décida de renverser la politique tarifaire d'Hydro-Québec, laquelle encourageait auparavant la surconsommation. Désormais, les tarifs seraient progressifs pour une consommation dépassant 900 kWh mensuellement chez les particuliers et les agriculteurs. Cette mesure toutefois ne frappait aucunement les petits

6 Il s'agit ici du «revenu net avant attribution aux réserves».

consommateurs, elle ne frappait en fait que le tiers des consommateurs dits «domestiques».

Si le gouvernement, par sa politique énergétique, s'accordait dans un premier temps avec le désir d'Hydro-Québec d'augmenter sensiblement les tarifs, cette concordance de vues ne devait pas durer longtemps. En effet, au cours des années subséquentes, le gouvernement dut prendre la part des usagers et modérer les demandes d'Hydro-Québec. Malgré tout, les hausses de tarifs pour la consommation «domestique» ont été respectivement de 13,8%, de 13,1% et de 10,6%, de 1979 à 1981. Par la suite, d'autres hausses furent accordées, qu'il n'est plus utile d'exposer en détail. L'important, c'est qu'au cours des récentes années les hausses de tarifs firent l'objet de discussions approfondies chaque année avec le gouvernement et trouvèrent leur écho dans les commissions parlementaires, ce qui en fit une occasion de débat public.

LE FINANCEMENT ET LA FISCALITÉ

Contrairement à beaucoup de sociétés d'État, Hydro-Québec n'a jamais eu besoin de subventions gouvernementales. Elle a toujours joui de bénéfices importants, qu'elle s'empressait d'ailleurs de réinvestir dans des équipements nouveaux, dont les besoins se révélaient insatiables. Ces bénéfices réinvestis, toutefois, ne parvenaient à financer tout au plus que le quart des dépenses de capital, de sorte qu'Hydro-Québec devait emprunter sur les marchés des sommes assez imposantes. Ces emprunts devant être autorisés par le gouvernement, celui-ci possédait ainsi un instrument de contrôle sur le développement d'Hydro-Québec. En réalité, ce contrôle était assez illusoire, étant donné la bonne réputation de l'entreprise sur les marchés financiers et le fait que pendant longtemps Hydro-Québec était la seule capable de déterminer ses besoins de financement.

C'est la réforme de 1981 qui allait définitivement assujettir Hydro-Québec sur le plan financier. En effet, le bill 16 dotait d'abord l'entreprise d'un capital-actions (entièrement possédé par le ministre des Finances) de 5 milliards de dollars. En deuxième lieu, le gouvernement imposait à Hydro-Québec le paiement de dividendes pour la première fois. Cette dernière initiative allait susciter l'opposition de l'entreprise, qui, constatant dans un premier temps qu'elle ne convaincrait pas le gouvernement, tenta ensuite de faire en sorte que ce soit le conseil d'administration qui déclare les dividendes. Ce fut peine perdue. Il faut ajouter que la proposition gouvernementale suscita beaucoup de critiques de la part de l'opposition officielle et aussi de la presse.

Les dividendes sont donc déterminés par le gouvernement lui-même selon une formule qui protège toutefois l'entreprise contre un prélèvement excessif. En effet, le dividende annuel ne peut excéder le surplus susceptible de distribution, à savoir une somme égale de 75% du revenu net d'exploitation et du revenu net de placement moins la dépense brute d'intérêt. De plus, il n'y a pas de dividende si le taux de capitalisation baisse à moins de 25%.

Cette dernière sauvegarde a pour effet de réduire considérablement le prélèvement gouvernemental, étant donné que dans le passé ce n'est qu'exceptionnellement que le taux de capitalisation dépasse 25%. De fait, les dividendes versés en 1981 ne sont que de 7 millions de dollars. Beaucoup plus productive, et surtout plus stable pour le gouvernement, est la taxe sur le capital. En effet, avec le même bill 16 on a voulu aussi assujettir Hydro-Québec à la taxe sur le capital de 0,3% (taux relevé en 1981 à 0,45%), à l'instar des entreprises privées. Au total, la ponction de l'État sur Hydro-Québec s'élève en 1981 à 198 millions de dollars, soit plus du double de celle des années précédentes, et cela sous les diverses modalités d'imposition: 43 millions en taxes sur le capital, 63 millions en taxes de vente et des dividendes de 7 millions.

L'argument utilisé par le gouvernement pour justifier ces diverses formes de prélèvement, c'est qu'Hydro-Québec doit désormais se comporter comme toute entreprise qui fait des profits. Même si l'on doit reconnaître que les décisions gouvernementales ne sont pas de nature à compromettre la santé financière de l'entreprise, il n'en reste pas moins qu'elles réduisent sensiblement sa marge de manoeuvre. Si les besoins en investissements s'étaient maintenus au niveau prévu il y a deux ou trois ans, on aurait pu s'attendre à ce qu'Hydro-Québec éprouve des difficultés de financement, ce qui d'ailleurs aurait permis au gouvernement de venir, tout heureux, à sa rescousse, soit en augmentant sa participation au capital, soit en lui faisant une avance.

Mais on n'en est pas rendu là, et le ministre des Finances s'appuie précisément sur les prévisions à la baisse de la demande d'électricité[7] et sur le ralentissement consécutif des grands travaux pour affirmer qu'Hydro-Québec pourra quand même s'autofinancer à 60% dans les années à venir.

On peut aussi prétendre que le gouvernement, en présence d'un niveau de profits élevé d'Hydro-Québec, n'avait pas d'autre choix vis-à-vis de l'opinion publique que d'abaisser les tarifs ou d'aller pratiquer une ponction importante dans l'entreprise. C'est cette deuxième solution qui a été retenue, au risque d'obliger Hydro-Québec à recourir davantage au marché des capitaux. Mais un autre argument utilisé était de ne pas surcharger les générations actuelles au bénéfice des générations futures. Enfin, des prélèvements importants pratiqués à ce moment ne pouvaient qu'alléger les difficultés budgétaires du gouvernement, aux prises avec un déficit sans précédent.

On aurait tort cependant de prétendre, comme beaucoup de gens l'ont fait à l'époque, que le désir de s'attribuer des dividendes obéissait seulement aux impératifs budgétaires du gouvernement. D'ailleurs, le ministre des Finances n'a-t-il pas annoncé que les dividendes de l'entreprise serviraient prioritairement à financer la modernisation des entreprises privées, conformément à l'objectif de développement économique, et à souscrire au capital-actions des autres sociétés d'État? En bref, Hydro-Québec était appelée à contribuer de ses deniers à un changement de politique important du gouvernement à l'égard de ses sociétés d'État, dans le sens d'un rapprochement avec la situation des entreprises privées.

Mais la ponction gouvernementale sur Hydro-Québec ne se limite pas au versement de dividendes, loin de là! L'alourdissement du fardeau fiscal allait fournir à l'État l'occasion d'aller dans le même sens. Il faut ici reprendre dans ses grandes lignes le statut fiscal d'Hydro-Québec, qui a subi au cours des années des modifications assez radicales, tantôt dans le sens de l'allègement, tantôt dans le sens contraire.

Il est vrai qu'Hydro-Québec, en tant que société d'État, est exemptée de l'impôt sur le revenu fédéral et aussi de l'impôt sur le revenu du Québec, mais le gouvernement s'est quand même ingénié à lui imposer des taxes de toutes sortes, tant au niveau provincial que municipal.

Il fut un temps où l'entreprise versait à l'État une redevance d'un montant fixe. À partir de 1964, à cette redevance s'ajoutait une taxe proportionnelle au volume de production, ce qui donnait alors un total d'environ 20 millions de dollars, lequel était devenu 30 millions en 1972.

En 1973, on abolit la taxe sur l'énergie produite, pour la remplacer par une redevance annuelle fixe de 20 millions, ce qui représentait une économie appréciable pour Hydro-Québec. En 1979, nouveau changement: on abolit la redevance fixe de 20 millions mais on assujettit l'entre-

7. Il faut dire que les prévisions du ministère de l'Énergie et des Ressources, toujours plus basses que celles d'Hydro-Québec, se sont révélées à l'expérience plus proches de la réalité.

prise à la taxe de vente sur ses achats. Ceci était beaucoup plus lourd, surtout par suite du programme important d'investissements. Puis en 1981, comme on l'a vu précédemment, les prélèvements du gouvernement s'accentuent mais ils prennent la forme non seulement de dividendes mais aussi d'une taxe sur le capital. À chaque fois que le régime fiscal d'Hydro-Québec s'alourdit, on ne sera pas étonné de constater la résistance de ses dirigeants, préoccupés de conserver à l'intérieur le maximum de revenus pour fins d'autofinancement.

Mais c'est surtout au niveau des taxes foncières qu'Hydro-Québec laisse paraître son mécontentement, affirmant en commission parlementaire que Québec constitue la seule province qui taxe les équipements de production hydroélectrique[8]. Il faut dire que du point de vue taxation municipale Hydro-Québec a connu des changements brusques et accentués. Antérieurement à la nationalisation de 1962, elle ne versait de taxes municipales que sur ses terrains et bâtisses. Avec l'absorption des compagnies privées, une grande confusion s'ensuivit. Hydro-Québec hérita des obligations fiscales des anciennes entreprises privées, qui payaient des taxes foncières sur tous les biens immobiliers (terrains, bâtisses, équipement, barrages, centrales). De plus, Hydro-Québec devait se soumettre aux rôles d'évaluation très disparates d'un grand nombre de municipalités.

En 1971, le gouvernement, donnant suite aux récriminations d'Hydro-Québec, fit exclure des rôles d'évaluation tout ce qui n'était pas terrains et bâtisses. Toutefois, pour atténuer l'impact négatif d'une telle décision sur les finances municipales, on obligea Hydro-Québec à verser en compensation une redevance annuelle fixe pour 10 ans et dégressive par la suite jusqu'à extinction complète des redevances.

En 1979, année de la réforme de la fiscalité municipale, nouveau revirement: à la taxe foncière proprement dite, s'ajoutent une taxe d'affaires et un impôt de 3% sur les ventes d'électricité, destiné à être redistribué entre les municipalités. Il était devenu évident qu'aux yeux du gouvernement Hydro-Québec ne pouvait jouir d'une aisance financière incontestable sans en faire profiter d'autres organismes du secteur public, moins bien nantis.

Pour illustrer l'évolution des charges fiscales imposées à Hydro-Québec, voici quelques chiffres indiquant les contributions de l'entreprise tant au gouvernement du Québec qu'aux municipalités:

1982	185 millions
1981	114 millions
1980	57 millions
1979	25 millions
1978	40 millions

Auparavant, les charges fiscales totales étaient assez stables, se situant autour de 40 millions de dollars par année, réparties à peu près également entre Québec et les municipalités. Pour 1982, les charges représentaient 5,6% des revenus globaux.

CONCLUSION

Nous avons tenté de décrire l'évolution des relations entre Hydro-Québec et le gouvernement du Québec, à la lumière du développement progressif d'une politique énergétique articulée, elle-même considérée comme un élément important de la politique de développement économique. Nous avons montré que si la loi constitutive d'Hydro-Québec prévoyait depuis toujours la possibilité d'intervention de l'État, via les autorisations préalables à toute une variété de gestes administratifs, ces instruments ont pris une dimension toute nouvelle le jour où le gouvernement a pu se fixer des objectifs clairs en matière de politique énergétique.

8. CPRNTF, 4e session, 29e législature, 10 avril 1973, p. B-349.

Il est incontestable que l'évolution a marqué une réduction de la marge de manoeuvre de l'entreprise, qui avait eu auparavant les coudées franches, non seulement sur le plan de l'administration interne mais aussi sur celui de la définition de sa stratégie de développement. Elle a suscité aussi depuis 1978, et surtout en 1981, des tensions importantes avec le gouvernement, les deux interlocuteurs adoptant des points de vue divergents sur plusieurs questions, comme les dividendes, la tarification, la fiscalité, etc.

En revanche, Hydro-Québec, de simple entreprise de production et de distribution d'électricité qu'elle était auparavant, a acquis graduellement le statut d'instrument privilégié de développement économique. D'où la nécessité d'une interaction constante avec l'État, puisque Hydro-Québec possède une expertise et une expérience précieuses qui en font plus qu'un simple agent d'exécution des politiques gouvernementales.

De plus, la politique énergétique du Québec, même si elle propose globalement les économies d'énergie, prévoit un apport croissant de l'électricité dans le bilan énergétique, ce qui élargit d'autant le rôle d'Hydro-Québec. La part de l'électricité, en effet, devrait passer de 26% en 1978 à environ 45% en 1996[9].

Nous avons évoqué un certain nombre de domaines où cette interaction se manifeste. L'espace nous manque pour mentionner qu'à l'égard de beaucoup d'autres questions une harmonisation se révèle tout aussi nécessaire entre l'entreprise et divers organismes gouvernementaux, qu'il s'agisse de la politique salariale du secteur public, de la politique de préférence aux achats du Québec, de la politique d'emprunts sur les marchés extérieurs, de la protection de l'environnement, etc.

Dans tous ces domaines, une entreprise de la taille d'Hydro-Québec ne peut se permettre de se comporter comme une entreprise privée soucieuse uniquement de maximiser sa rentabilité. Elle doit se considérer comme solidaire des politiques gouvernementales, tout en maintenant jalousement l'autonomie nécessaire à une saine gestion et en se défendant contre des intrusions abusives dans son fonctionnement. C'est le défi que l'entreprise doit désormais relever, maintenant que les paramètres sont connus de tous. La tâche sera d'autant plus délicate que le gouvernement, au cours des dernières années, s'est efforcé d'assimiler Hydro-Québec à une entreprise privée, notamment au cours de la discussion sur les dividendes et sur la fiscalité. C'est donc la notion même d'entreprise publique qui est en cause ici, du rôle que ces entreprises jouent dans le développement du Québec, et de l'interaction qui doit s'établir entre elles et le gouvernement.

9. Hydro-Québec, *Rapport annuel 1980*, p. 57.

59

Construction de la deuxième section de Beauharnois, en 1950.

C'est en 1931 que sera mise en service la première section de la centrale Beauharnois.

Le dernier des trente-six groupes de Beauharnois est mis en service en 1961. Cette centrale sera la plus puissante au Québec jusqu'au parachèvement de la centrale de LG-2 à la Baie James, au début des années 80.

Quarante ans d'un rôle socio-culturel à poursuivre

Jacques Brazeau,
département de sociologie,
Université de Montréal

Pour donner un sens aux activités d'Hydro-Québec et aux réactions qu'elles suscitent, il faut d'abord tenir compte de celles des entreprises hydroélectriques privées et voir quel héritage et quelles tâches elles laissèrent. On peut examiner alors avec quel bonheur l'agent que l'État se donna pour assurer le développement coordonné des ressources hydro-électriques le fit pendant quatre décennies sur les plans politique et économique québécois et extérieurs. Il ne faut pas oublier, en effet, que c'est face à une économie changeante qu'Hydro-Québec doit accomplir sa mission de prévoir les besoins d'énergie électrique, d'en assurer la disponibilité à mesure que ces besoins se manifestent et de juger de la rentabilité des développements dans lesquels elle s'engage.

Les accomplissements techniques dans la réalisation de mégaprojets — Manicouagan, Churchill Falls, Baie James — et du transport de l'énergie à des milliers de kilomètres par des lignes de transmission à haute tension ont frappé par leur gigantisme les publics québécois, canadien et étranger. Une série de premières mondiales furent réalisées par Hydro-Québec, les firmes québécoises d'ingénieurs-conseils, de sous-contractants et de fournisseurs auxquelles elle et sa filiale, la Société d'énergie de la Baie James, ont eu recours et les dizaines de milliers d'ouvriers engagés dans les aménagements hydroélectriques. La poursuite de ces réalisations a fait naître l'Institut de recherche en électricité du Québec, et, plus récemment, Hydro-Québec International. Elle assura également la croissance de firmes d'ingénieurs-conseils dont le rôle à l'étranger, surtout en pays en voie de développement, rappelle par son importance celui des ingénieurs liégeois au cours de la Révolution industrielle.

Les grands succès techniques d'Hydro-Québec ont fait de l'institution un symbole et une source d'identification des Québécois francophones. Mais le développement hydroélectrique n'a pas été uniquement un fait d'ingénierie. Il a requis la création d'une compétence administrative considérable pour décider de l'opportunité d'aménagements particuliers à un certain rythme, en assurer le financement, faire la commercialisation de l'énergie, gérer la participation coordonnée de chercheurs et de concepteurs, de sous-contractants et de fournisseurs nombreux. On

Deux symboles d'Hydro-Québec, deux périodes de son histoire. Le premier, conçu par L. Lavallée, surintendant adjoint des Ateliers, date de 1944. Il représentait l'écusson de la province avec en plus le castor, l'éclair de l'électricité et la torche du gaz. C'est en 1965 qu'est dévoilé le symbole actuel d'Hydro-Québec qui met en évidence la lettre «Q», initiale du Québec, et qui fait aussi référence au cercle tracé par la turbine et d'où sort l'éclair de l'énergie.

a développé là aussi une compétence francophone d'une ampleur nouvelle. Les tâches à réaliser ont dû s'accomplir à l'intérieur d'exigences budgétaires et d'échéances, dans le cadre d'un mandat accordé par l'État et prévoyant autorisations et contrôles de sa part, en respectant la continuité d'engagements contractés par les filiales nationalisées et de façon à ce qu'Hydro-Québec continue de se mériter la confiance de créanciers, l'appui du public, dont les populations que les activités de l'institution pouvaient affecter, et l'enthousiasme d'un personnel massif localisé largement dans des chantiers éloignés.

Si l'on perçoit les tâches d'Hydro-Québec comme devant comprendre des études prospectives du développement économique et industriel, la planification de mesures pour satisfaire les besoins en énergie électrique pour ce développement, la réalisation d'aménagements sur les plans du financement et de la gestion autant que de l'exécution technique, on peut considérer que le rôle de très grande importance que l'institution joue est socio-culturel. Autant ce rôle fut très bien accompli jusqu'ici, autant il semble inévitable qu'il continue à l'être dans l'avenir.

UN TERME AU PAIEMENT DE PROFITS EXCESSIFS

La création d'Hydro-Québec, en avril 1944, se fait par la nationalisation de Montreal Light, Heat and Power Consolidated. La province avait souhaité acheter Beauharnois Light, Heat and Power Company près de trois ans plus tôt. Le rôle de la Commission hydroélectrique du Québec est d'abord d'empêcher la continuation de pratiques grâce auxquelles des entreprises accordaient des profits excessifs à leurs actionnaires sans développer adéquatement les sources d'énergie et la distribution du pouvoir hydroélectrique à des tarifs propres à assurer l'électrification et le développement industriel. Si l'on se demande ce qu'Hydro-Québec a fait d'abord pour le bénéfice de la société québécoise, il faut voir en premier lieu comment se développa et fonctionna l'entreprise qu'elle remplaça dans l'agglomération montréalaise.

A la fin du siècle dernier, des hommes d'affaires américains et canadiens créent Royal Electric Company et Montreal Gas Company. Le gaz et l'électricité nouvelle se font alors vive concurrence pour assurer l'éclairage. Divers petits entrepreneurs, francophones et anglophones, créent de petites entreprises qui s'incorporent ensuite les unes aux autres. Royal Electric Company attire initialement des hommes d'affaires et des capitaux francophones mais quand la firme est dirigée par Herbert Samuel Holt et qu'elle regroupe des compagnies de gaz, d'électricité et de transport sous le nom de Montreal Light, Heat and Power Company, ses actionnaires deviennent anglophones et les administrateurs francophones à son conseil sont surtout des hommes politiques. Dès 1910, les deux plus grandes entreprises québécoises de distribution de pouvoir électrique, Montreal Light, Heat and Power Company et Shawinigan Water and Power Company, achètent des actions l'une de l'autre et comprennent les mêmes administrateurs à leurs conseils. De plus, la première de ces deux entreprises manque singulièrement de sources d'énergie et contribue assez peu à en développer. Elle obtient l'énergie qu'elle distribue de concurrents d'autres régions, d'entreprises dont elle fait l'acquisition contre un certain nombre de ses actions, et de partenaires comme Shawinigan Water and Power Company.

Sous la direction de Herbert Samuel Holt et de J.S. Norris, le distributeur montréalais devient une institution financière de grande importance sous les noms de Civic Investment and Industrial Company puis de Montreal Light, Heat and Power Consolidated. Il accorde un grand

nombre de ses actions à des propriétaires de sources d'énergie, il frac-
tionne à plusieurs reprises celles-ci, il émet des obligations afin de faire
certaines constructions de centrales ou de lignes de transmission et afin
de remettre à ses actionnaires une partie de leurs capitaux. En faisant une
surévaluation de ses biens par le fractionnement d'actions et la création
de filiales, Montreal Light, Heat and Power Consolidated gonfle la
valeur de ses biens, d'après les résultats de l'enquête de la Commission
Lapointe, et elle verse au cours des ans à ses actionnaires des profits
excessifs sur des mises de fonds minimes, dont la valeur aux livres est
ensuite démultipliée. Ces gestes freinent l'expansion des ressources
hydroélectriques, l'électrification rurale et la réduction des tarifs proportionnellement à la diminution des coûts de production et du transport de
l'énergie. La création d'Hydro-Québec, 40 ans après la municipalisation
de la distribution de l'électricité en Ontario par le truchement d'Ontario
Hydro, a empêché la continuation de pratiques financières jugées inap-
propriées, telles celles de Montreal Light, Heat and Power Consolidated.

L'APPRENTISSAGE DU DÉVELOPPEMENT

Hydro-Québec, aussitôt qu'elle a assumé la distribution de l'électricité et du gaz à Montréal, doit faire face à l'accroissement spectaculaire
des besoins d'énergie. Ces besoins viennent du peu de développement
assuré par le distributeur montréalais auquel elle succède, de l'insuffi-
sance des lignes de transport vers les régions éloignées, peu industrielles
et peu populeuses comme la Gaspésie, et de la croissance industrielle
qu'assurent la guerre et l'après-guerre. La Commission ne dispose que de
quatre centrales et vend de l'énergie produite par ses concurrents. Elle a
pour rôle d'étudier les possibilités rentables de production et de transport
de l'énergie hydroélectrique, de choisir entre divers aménagements et d'en
réaliser les meilleurs à l'intérieur d'échéanciers pressants.

On complète la première phase de la centrale de Beauharnois sur le
fleuve, puis la deuxième, on rejette l'exploitation trop coûteuse des
rapides de Lachine, on reporte la construction de la centrale d'appoint de
Carillon sur l'Outaouais inférieure, on aménage deux centrales sur la
rivière Bersimis et l'on construit deux lignes de transport à 315 kV pour
Montréal et Québec avant d'en faire une troisième qui ira ensuite, par
câbles sous-marins sous le fleuve, vers la Gaspésie. Les aménagements de
la Bersimis et des lignes de transport font connaître Hydro-Québec au
niveau international. Quelque 10 ans après avoir poursuivi les travaux de
Beauharnois, les gouvernements américain et canadien ont rendu publics
leurs plans de la Voie maritime, et Hydro-Québec peut entamer la troisième tranche de l'aménagement du Saint-Laurent, qui fera du complexe
de Beauharnois le plus grand producteur d'énergie hydroélectrique au
Canada à ce moment, avec plus d'un million et demi de kilowatts. Elle
aménage aussi Rapide 2 sur l'Outaouais supérieure et Carillon comme
centrale de pointe. Face à une demande d'électricité qui a doublé en 10
ans, Hydro-Québec fait l'étude du potentiel des rivières Manicouagan et
aux Outardes et dépêche des explorations scientifiques vers les rivières de
la Baie James. Concurremment, elle assure le transport de l'énergie vers
la Gaspésie et ses mines de cuivre, vers Chibougamau puis vers Sept-Îles.
Quand viendra la discussion d'une seconde nationalisation, on aura
amorcé les travaux à Manic 5 et à Manic 2.

Dès sa création, Hydro-Québec a dû faire l'apprentissage de la planification et du développement. Elle est vite devenue une grande entreprise,
n'a pas reçu de contributions financières de l'État, a pu maintenir alors
ses tarifs aux niveaux adoptés en 1944 et en 1947 et a payé des impôts

municipaux et scolaires. La Commission hydroélectrique du Québec a su former des administrateurs, des juristes et des financiers francophones en intégrant ceux-ci initialement à des groupes mixtes. On pense, par exemple, aux travaux du comptable Cecil Ellis pour la Commission Lapointe et à la présence, initialement, de deux commissaires anglophones à Hydro-Québec. On a veillé à assurer aussi l'acquisition d'une expertise supérieure par les ingénieurs francophones. On leur a confié des rôles de plus en plus importants d'un projet à un autre, pour leur confier l'aménagement de Carillon et les aménagements subséquents de barrages, centrales ou lignes de transmission. Comme Hydro-Québec, initialement, à l'encontre des firmes par elle acquises, est devenue experte dans la production et le transport de l'énergie hydroélectrique plutôt que dans sa distribution, elle a pu recruter et former ses ingénieurs francophones dès qu'elle a dû faire son propre apprentissage. Le rôle de formateur d'une main-d'oeuvre experte et francophone lui a été dévolu au moment même de sa création, comme, par surcroît, l'entreprise privée ne comptait pas une large représentation francophone dans ses rangs.

L'ÉTATISATION ET L'ACCEPTATION D'UN HÉRITAGE VARIÉ

L'acquisition, en 1963, de 10 compagnies par Hydro-Québec n'exige pas les mêmes innovations qu'en 1944. La Commission hydroélectrique est déjà le plus grand producteur d'énergie parmi elles. On a estimé, à Québec, que les coûts de production demeurent trop élevés parce que les investissements ne sont pas coordonnés, des centrales sont aménagées par entreprises, des lignes de transport sont doublées sans justification, les coûts administratifs sont multipliés et des impôts sur les bénéfices de l'ordre de 15 millions de dollars sont payés au fédéral. On veut confier à Hydro-Québec la responsabilité d'unifier progressivement les réseaux, de les intégrer sous une direction pour abaisser les frais administratifs et pour exploiter au mieux les cours d'eau et les réservoirs, de desservir toutes les régions et de niveler les tarifs. Entre 1961 et 1963, le ministère dont relève Hydro-Québec, la Commission elle-même et leurs principaux conseillers — Michel Bélanger, Louis-Philippe Pigeon, Roland Giroux, Jacques Parizeau — poursuivent des recherches économiques et des consultations avec des financiers, afin de juger de la possibilité de la nationalisation.

Le développement des réseaux électriques dont Hydro-Québec ferait l'acquisition avait été disparate. Les régions éloignées des principales agglomérations n'avaient connu chacune une intégration de leurs petits systèmes de production et de distribution hydroélectrique qu'en autant que l'exploitation de certaines richesses naturelles le justifiait. Les aménagements hydroélectriques sur la Péribonka par les intérêts Duke-Price de l'aluminium, par exemple, allaient doter le Saguenay d'une production excédentaire. L'industrie des pâtes et papiers sur l'Outaouais inférieur et la Gatineau ainsi que l'industrie minière du Nord-Est ontarien et du Nord-Ouest québécois allaient justifier dans ces régions des investissements d'énergie hydroélectrique à 25 et à 60 cycles selon les lieux d'utilisation. Avant l'exploitation tardive de ressources minières en Gaspésie et son électrification par Hydro-Québec, la rive Sud du Bas-Saint-Laurent développa le moins l'usage de l'électricité et l'offrit à des tarifs élevés. Ce n'est qu'à la suite de la création d'Hydro-Québec que la côte Nord connut, par ailleurs, une électrification adéquate à des fins industrielles. Il faut convenir que, d'une perspective financière, il était plus facile pour Hydro-Québec d'effectuer l'achat des réseaux éloignés que l'avait été l'acquisition, en 1944, du réseau électrique et gazier de l'ag-

L'édifice Power, érigé en 1907-1908 à l'angle des rues Craig et Saint-Urbain, où Hydro-Québec logera des bureaux jusqu'en 1963.

glomération montréalaise, lequel avait été excessivement profitable aux investisseurs.

Les régions de Québec, de l'Estrie et de la Mauricie ont intégré tôt leurs propres réseaux. Elles ont débuté avec nombre de petites entreprises locales, dont les plus dynamiques ont absorbé leurs voisines. Mais cette modalité, typique de l'ensemble québécois puisque l'étatisation n'y vint pas tôt, est allée plus loin dans les régions du centre du Québec que dans les régions périphériques: il s'est ensuivi la création de deux groupes reliés, Montreal Light, Heat and Power Consolidated et Shawinigan Water and Power Company, qui en vient à comprendre pour cette dernière des intérêts majoritaires dans Quebec Power Company et dans Southern Canada Power. Il convient de voir comment ces dernières entreprises se comparent pour signaler le rôle que leur absorption va confier à Hydro-Québec.

Québec est la première ville canadienne à utiliser dès 1885 l'énergie hydroélectrique, en raison de la proximité des chutes Montmorency. Plusieurs compagnies locales, montréalaises et américaines d'électricité, de gaz et de transport s'y créent et s'y fusionnent au cours des ans pour devenir Quebec Railway, Light, Heat and Power Company, et, une fois que Shawinigan y acquiert des intérêts importants, Quebec Power Company au cours des années 20. Avant que s'établisse le monopole dirigé par Shawinigan Water and Power, le réseau de Québec a compris des administrateurs et des cadres francophones et anglophones. En étant maintenue

Siège social d'Hydro-Québec depuis 1962.

comme firme distincte, Quebec Power Company — qui prendra la raison sociale de langue française, Compagnie Québec Power, en 1960 et aura un président francophone l'année suivante — conserve son caractère mixte ethniquement.

À l'encontre de la Compagnie Québec Power, la compagnie Southern Canada Power est surtout initialement une firme de distribution du pouvoir électrique, acheté de Shawinigan Water and Power et de Montreal Light, Heat and Power à titre de client, et qui incorpore nombre de petits distributeurs locaux. Quand elle construit un barrage et une centrale à Drummondville, elle a recours aux financiers montréalais Nesbitt, Thomson and Company. Tout en ayant un personnel francophone nombreux, la compagnie n'inclut que vers les années 60 une représentation francophone importante à son conseil. Quand Southern Canada Power est incorporée aux intérêts Shawinigan comme entreprise pourtant distincte en 1957, elle a un président francophone depuis environ deux ans. Tout au cours de sa période d'activité, l'entreprise s'efforce d'attirer en Estrie des industries américaines en faisant valoir la disponibilité d'énergie électrique, qu'elle vend pourtant cher, et d'une main-d'oeuvre abondante et docile.

L'empire financier qui sera administré par J.-E. Aldred diffère à bien des égards de celui que dirige également à Montréal Herbert Samuel Holt. Avant le début du siècle, la firme qui deviendra Shawinigan Water and Power Company achète les droits à l'exploitation des chutes Shawinigan. Elle attire en Mauricie une aluminerie qui deviendra Alcan, des usines de pâtes et papiers, et elle vend à ces entreprises de l'énergie hydro-électrique. Elle en fournit à la région de Montréal par l'entremise d'une compagnie qui sera ensuite acquise par Montreal Light, Heat and Power Company. Elle construit des lignes de transport de l'énergie jusqu'à Montréal et par câbles sous-marins jusqu'à Sorel pour alimenter la rive Sud de Montréal et l'Estrie. Elle se procure assez d'actions de Montreal Light, Heat and Power et lui en fournit suffisamment des siennes pour que, de part et d'autre, les mêmes administrateurs siègent aux deux conseils d'administration et que leurs firmes dominent ensemble Montreal Tramways Company, Quebec-New England Hydro Electric Company, Quebec Power et, plus tard, Southern Canada Power. Shawinigan Water and Power Company acquiert aussi des actions de Beauharnois Electric, de Duke-Price Power Company, qui deviendra Alcan, et de British Newfoundland Corporation. Elle développe aussi des intérêts en construction, en ingénierie et en industrie chimique. À l'instar de Montreal Light, Heat and Power Consolidated, Shawinigan Water and Power Company a fractionné ses actions comme celles des entreprises hydroélectriques de son groupe et elle a, de ce fait, accordé de fiers profits à ses actionnaires; mais ses actifs dans le secteur hydroélectrique, y compris ses intérêts terre-neuviens, sont évalués à plus de 600 millions de dollars en 1963. En faisant l'acquisition du groupe Shawinigan, Hydro-Québec se donne de grands réseaux de production et de distribution d'électricité qui augmentent à eux seuls de près de 50% les ressources énergétiques dont elle dispose. Elle acquiert aussi un personnel administratif, scientifique et technique hautement compétent. Mais ce personnel compte peu de cadres supérieurs francophones bien que le groupe ait eu une clientèle francophone et ait pu exploiter les richesses naturelles du Québec. De plus, ce ne devait être qu'en 1962 que Shawinigan Water and Power s'identifierait dans sa lutte contre l'étatisation en devenant aussi la Compagnie d'électricité Shawinigan.

La seconde nationalisation ne créait pas pour Hydro-Québec le défi d'un développement de sources d'énergie comme l'avait fait la première. La Commission pouvait, à cet égard, continuer des actions bien engagées et choisir ses priorités en tenant compte des facilités de production et de distribution dont elle héritait. La seconde nationalisation présentait l'obligation d'intégrer de nouvelles filiales et d'incorporer leur personnel, afin de permettre une nouvelle mixité des employés des secteurs public et privé et des ethnies française et anglaise. Pendant 20 ans, entre 1944 et 1963, Hydro-Québec avait assuré aux francophones une participation accrue dans les cadres administratifs, scientifiques et techniques à mesure qu'elle s'agrandissait et que les employés qu'elle conservait de Beauharnois Electric et de Montreal Light arrivaient au moment de la retraite. Elle avait également fait progresser l'emploi du français comme langue parlée et écrite de travail. À certains égards, Hydro-Québec doit reprendre en 1963 une tâche accomplie quelque 20 ans plus tôt quand elle incorpore le personnel de Northern Quebec Power Company, Gatineau Power Company, Shawinigan Water and Power Company et Southern Canada Power. Après avoir découvert que l'étatisation était possible sur les plans économique et politique, malgré l'opposition répétée de la presse anglophone — mais, cette fois, un appui général de la presse francophone et une consultation électorale très favorable —, Hydro-Québec devait se préparer à voir ce que la seconde nationalisation donnerait sur le plan humain en ajoutant au nombre et à la variété de ces effectifs.

L'État a accordé à Hydro-Québec en 1963 le privilège de desservir profitablement les régions industrielles centrales de la province contre l'obligation d'assurer une électrification économique aux régions excen-

Disjoncteurs dans un poste de transformation.

La centrale à turbines à gaz La Citière.

triques que l'entreprise privée négligeait. Il lui a donné en même temps la possibilité de compléter une tâche à laquelle elle s'était engagée au cours des années 40: donner aux Québécois francophones un grand rôle dans le domaine de l'énergie électrique. Voici comment Hydro-Québec assuma cette dernière responsabilité.

INTÉGRATION, RÉALISATIONS ET CRÉATION D'UN SYMBOLE NATIONAL

Au cours des années 60, Hydro-Québec fait l'intégration de ses filiales récemment acquises. Pour ce faire, elle doit d'abord maintenir l'existence juridique de celles-ci, donner à ses commissaires le pouvoir d'en être les administrateurs et voir à ce que ce soit les firmes dont l'existence légale est maintenue qui assument leurs obligations à l'endroit de créanciers détenteurs d'obligations, plutôt qu'Hydro-Québec renégocie les dettes à de nouveaux taux. Il faut plus de trois ans pour uniformiser les politiques administratives à l'endroit du personnel en respectant les droits acquis. On met à peu près le même temps pour que les employés de bureau et les ouvriers de métier adhèrent à un seul syndicat et que deux conventions collectives en remplacent 33. Hydro-Québec passe vers le même moment, en 1966, à la syndicalisation de ses ingénieurs, sauf que les réaménagements administratifs amputent leur syndicat de ceux à qui l'on confie des tâches administratives et que le litige mène à deux débrayages d'ingénieurs en deux ans.

La prise de possession des compagnies, le 1er mai 1963, a été accompagnée d'incertitudes qui se sont dissipées rapidement. Malgré la dualité linguistique et l'orientation différente des anciens cadres et des nouveaux, peu de ceux-ci ont quitté en 1963, 76 sur 822 entre janvier et septembre, et plusieurs de ceux-ci l'ont fait en prenant leur retraite. On a fait valoir aux arrivants que leur compétence, plutôt que leur langue, assurerait leur promotion, tout en appuyant l'usage du français chez les francophones qui avaient travaillé en anglais dans les entreprises et en offrant des cours de langue aux cadres et aux employés de langue anglaise.

Alors que l'intégration des filiales et de leur personnel n'a pas nécessairement frappé le public à la façon dont l'ont fait au cours de la décennie l'amorce, la poursuite et l'arrivée à terme de grands projets, il est évident que, pour Hydro-Québec, doubler sa taille et se diversifier comme elle l'a fait ont constitué un défi sérieux. L'institution a su incorporer de nouvelles ressources humaines — on pense en particulier aux chercheurs de la Compagnie d'électricité Shawinigan, qui avaient mené des explorations à la Baie James et au Labrador, et à ses experts en énergie nucléaire — alors qu'elle accordait un rôle sans précédent à des firmes franco-québécoises d'ingénieurs-conseils et qu'elle avait aussi recours à ses propres experts en administration, en finances et en génie.

La taille qu'Hydro-Québec acquiert après 20 ans d'existence lui permet de poursuivre plusieurs projets à la fois. C'est la multiplicité et l'ampleur de ceux-ci, dont plusieurs établissent des premières mondiales, qui font d'elle le symbole du succès québécois entrevu au cours des années 60. Il suffit de mentionner que le barrage Daniel-Johnson est le plus important de son type au monde, qu'il crée un réservoir plus considérable que l'ensemble des autres réservoirs d'Hydro-Québec au moment où il est rempli, qu'en septembre 1965 la première ligne de transmission à 735 kV est mise en opération, qu'en 1966 Hydro-Québec considère la possibilité d'acheter de l'énergie de Churchill Falls (Labrador) Corporation malgré ses possibilités de développer sur les rivières Manicouagan et aux Outardes les sept centrales qui produiront au-delà de 5 millions et demi de kilowatts. On peut rappeler aussi que la création de l'Institut de

73

recherche en électricité du Québec l'oriente vers l'étude des lignes de transmission à haute tension, parce qu'Hydro-Québec a la tâche de transporter de la côte Nord vers Montréal, au-delà de la rivière Saguenay, 30 milliards de kilowatts-heures d'énergie par an, économiquement et en toute sécurité. Des lignes de transmission semblables doivent également enjamber le Saint-Laurent à l'île d'Orléans.

En raison de ses travaux de construction de barrages et de centrales sur les rivières Outaouais, Manicouagan et aux Outardes, de la construction de ses lignes de transport et de l'érection de la centrale thermique de Gentilly, Hydro-Québec emploie plusieurs dizaines de milliers de personnes. De plus, par la centralisation de ses achats, elle joue aussi un rôle important dans le développement économique, en appareillage électrique surtout. Elle incite des industries à s'installer au Québec ou à y accroître leur activité productive du fait que ses achats répondent aux deux critères de la plus basse soumission et du contenu québécois le plus élevé. Les médias ont fait connaître les succès d'Hydro-Québec au public quant aux grands projets de l'institution mais aussi quant aux retombées économiques de ses activités. Ils ont fait connaître également l'autonomie juridique de la Commission dans le domaine financier, qui obtient des prêts en son nom propre sur le marché international, sans garantie du Québec ou de ses villes, et qui maintient la cote de crédit la plus élevée qui soit sur les marchés américain, européen et japonais. Ils soulignent que ceci n'a nécessité qu'une seule augmentation de tarifs au cours des années 60.

Dans le cadre de l'intégration de ses ressources humaines, dans celui plus apparent de l'exécution de grands projets pour satisfaire les besoins en énergie hydroélectrique du Québec et par rapport aux retombées socio-économiques que son activité comporte, Hydro-Québec a été, au cours des années 60, à l'apogée de son rôle en tant qu'institution symbole. Elle a fait voir le sens des affaires de ses administrateurs, la très haute compétence en sciences appliquées de ses ingénieurs et techniciens, et a nié les prédictions selon lesquelles l'étatisation signifierait la création d'une pyramide d'incompétence bureaucratique. L'importance d'Hydro-Québec pour la société québécoise a été très grande dans les faits au niveau matériel. Elle a été capitale, de plus, comme symbole et objet d'identification pour le groupe culturel des Québécois francophones parce que, dans la division du travail et le partage des responsabilités qui relevaient de l'entreprise privée, les Canadiens français avaient été jugés largement inaptes dans les domaines financier, scientifique et administratif. Après quelque 20 ou 25 ans d'existence comme service public para-étatique, Hydro-Québec faisait au groupe francophone des promesses inespérées de succès et de rayonnement.

PASSÉ RÉCENT ET FUTUR HAUTEMENT PROBABLE

Au cours des 10 dernières années, la contribution d'Hydro-Québec sur le plan culturel a continué d'être avant tout dans le domaine de l'ingénierie. En quelque cinq ans, on a complété l'aménagement de Churchill Falls au Labrador, dont les onze groupes produisent plus de cinq millions de kilowatts d'énergie, et les lignes de transmission de cette énergie. On sait que cet aménagement a été assuré majoritairement par des cadres d'Hydro-Québec et nombre de ses ouvriers, et que les appareillages principaux, les plus puissants produits jusqu'alors, ont été fabriqués par des entreprises québécoises. Hydro-Québec a complété également l'aménagement des rivières Manicouagan et aux Outardes, productrices de plus de cinq millions et demi de kilowatts. On a entrepris également, et l'on est en voie de la compléter, la phase I du complexe La Grande, qui produira,

avec trois centrales, plus de 10 millions de kilowatts. Les ouvrages de retenue, barrages et digues, au nombre de 206, sont construits à la Baie James en matériaux naturels disponibles sur place. Les techniques de leur utilisation ont représenté des recherches innovatrices à la fois d'économie et de sciences naturelles appliquées.

Hydro-Québec et la Société d'énergie de la Baie James, sa filiale, ont dû être dirigées par des personnes de compétence exceptionnelle dans des domaines aussi variés, outre le génie, que la diplomatie, l'économie, la finance, la planification de mégaprojets avec l'aide d'un grand ensemble d'autres entreprises et institutions et la prospective du développement industriel. Qu'on songe à la signature du contrat d'Hydro-Québec avec Churchill Falls (Labrador) Corporation, qui l'engage dans l'aménagement du site, lui permet de devenir actionnaire à plus du tiers dans les intérêts de la corporation et lui accorde un contrat très avantageux à long terme pour l'achat de l'énergie. On voit également comment Hydro-Québec et sa filiale ont pu traverser l'impasse créée par l'établissement de la Société de développement de la Baie James, conçue pour développer les richesses naturelles de la région nordique en commun avec des sociétés d'État responsables d'initiatives de recherches pétrolières, d'exploitation minière et de production forestière. Hydro-Québec devient de fait la seule actionnaire de sa filiale, peut faire valoir que sa réputation lui permettra d'obtenir plus facilement des prêts de plusieurs milliards à l'étranger si elle gère elle-même le développement des ressources hydrauliques de la Baie James, et voit, en plus, la formule de la gérance qu'elle propose de l'aménagement de La Grande acceptée. Dans la même ligne de pensée, nous pouvons mettre au crédit d'Hydro-Québec le fait que, suite au saccage à LG-2 dû à des luttes intersyndicales dans le cadre de contrats de travail de longue durée qui impliquent des dizaines de milliers d'ouvriers, Robert Boyd ne consent à rouvrir le chantier que si les conditions que

Deux versions du journal d'entreprise qui représentent elles aussi l'évolution d'Hydro-Québec. Le Entre-nous *de 1944 qui fera place en janvier 1971 au* Hydro-Presse, *formule moderne du journal de l'entreprise.*

75

posent la Société d'énergie de la Baie James et Hydro-Québec sont acceptées. Il faut ajouter que le Québec, en plein accord avec Hydro-Québec, arrive à une entente avec les autochtones de la Baie James juste avant que la Cour d'appel du Québec ne renverse le jugement porté par le juge Albert Malouf contre la Société d'énergie de la Baie James et Hydro-Québec.

Retenons que plusieurs autorités, judiciaires ou administratives, ont donné raison à Hydro-Québec dans des litiges. En plus de celui avec les autochtones du Nouveau-Québec, il y a eu Terre-Neuve, les syndiqués mis en cause lors de la Commission Cliche, des groupes de citoyens face à de présumés risques ou torts causés par les lignes de transmission. Hydro-Québec semble, d'une part, s'être conformée aux exigences légales qui nous gouvernent et, d'autre part, avoir indiqué souvent aussi qu'elle était prête à négocier. Par ailleurs, malgré l'autonomie dont elle jouit, dans des limites prévues, vis-à-vis de l'État, les changements de gouvernement demandent des périodes d'adaptation mutuelle à l'exercice de cette liberté et créent l'occasion de modifications à ses termes. En temps utile, Hydro-Québec réussit cependant à bien plaider sa cause et à bénéficier de modes d'action qui lui conviennent.

Il faut en conclure qu'en présence de l'État et des citoyens Hydro-Québec est une grande institution où se cumule une expertise fort considérable. Aucun organisme n'a eu en 40 ans cette importance dans l'économie. Elle a contribué récemment de 15% à 20% des investissements au Québec. Elle a eu recours à plus de 100 000 personnes dans ses activités de construction d'ouvrages et de lignes de transmission, la vaste majorité d'entre elles étant, à tous les niveaux professionnels, des francophones. Les activités d'aucun organisme n'ont été aussi pleinement identifiées au Québec depuis deux décennies comme constituant la preuve de la compétence collective des francophones dans la planification socio-économique et les réalisations techniques. On peut considérer que les critiques exprimées et les questions posées au sujet d'Hydro-Québec, plus spontanément depuis 10 ans, sont un signe de l'identification de l'institution par les Québécois comme la leur.

Il y a 10 ans, l'engagement d'Hydro-Québec dans l'aménagement de La Grande se fait au moment où l'on prévoit un besoin d'énergie futur que ne pourra satisfaire la mise en marche des groupes de Churchill Falls. On sait le financement extérieur possible à la condition d'accroître les tarifs de six milliards pour satisfaire les prêteurs. Cependant, l'inflation, la montée vertigineuse des taux d'intérêts, le désir d'assurer mieux la protection de l'environnement et l'amélioration des conditions de vie dans des chantiers à 1 400 kilomètres de Montréal multiplient les coûts. Comme il est prévu qu'il le fasse, l'État se prononce de façon répétée sur l'à-propos des engagements d'Hydro-Québec, qui doit assurer au Québec une plus grande autonomie énergétique et privilégier de ce fait le développement de l'économie et le maintien de l'emploi. Dans les propositions qu'elle soumet à l'État quant à son activité de développement, Hydro-Québec doit tenir compte d'un grand nombre de faits: les besoins locaux qui n'ont pas augmenté autant que prévu, les possibilités de ventes d'énergie à l'extérieur du Québec, l'éventualité d'attirer des entreprises si les coûts de l'énergie montent moins ici qu'ailleurs et, évidemment, le maintien de l'emploi et de l'utilisation, au Québec aussi bien qu'à l'étranger, des talents du personnel d'Hydro-Québec, de la Société d'énergie de la Baie James et des firmes d'ingénieurs-conseils québécoises dont elles ont assuré l'essor et le renom mondial.

S'il faut planifier le ralentissement d'activités, ceci ne sera pas tout à fait inaccoutumé pour les dirigeants d'Hydro-Québec, qui déjà a reporté à des moments opportuns certaines de ses réalisations — Carillon pour

Bersimis, des éléments de Manicouagan au cas où Churchill Falls serait possible, LG-1 à la phase 2 du complexe La Grande — et qui a réussi à maintenir les coûts de l'énergie plus bas au Québec qu'ailleurs.

Ceux qui ont réalisé la «prise en main de l'énergie hydroélectrique par les Québécois» vont devoir assumer, avec toute l'aide disponible et les contrôles habituels de l'État et de l'opinion, la production et la distribution de l'énergie électrique comme l'évaluation des besoins futurs et la réalisation des aménagements pour les assurer. Il nous faut réaliser que, dans sa mission, Hydro-Québec n'a pas eu seulement un rôle d'ingénierie, si brillant que celui-ci ait pu être, mais également des responsabilités de planification de son activité en rapport avec les besoins que la société manifeste et que la disponibilité d'énergie peut espérer y faire naître. L'ensemble des activités d'Hydro-Québec, sur les plans administratif, commercial, financier, juridique et scientifique, va continuer de constituer, vu la taille de l'institution et son rôle, une création socio-culturelle d'importance primordiale. Au terme de ses 40 premières années d'existence, Hydro-Québec ne va pas perdre son rôle institutionnel à l'État par des contrôles qui l'empêcheraient d'innover, comme elle l'a fait sans relâche suite à une réflexion adéquate de son personnel et de ses conseillers. Son rôle ne reviendra pas non plus aux entreprises privées auxquelles elle a succédé en 1944 et en 1963.

SOURCES:
BRAZEAU, Jacques et DOFNY, Jacques, Étude réalisée pour le compte d'Hydro-Québec sur certains aspects linguistiques de l'intégration du personnel des filiales acquises, 1963. *Forces*, «Spécial Churchill Falls», nos 57-58.
HOGUE, Clarence, BOLDUC, André, LAROUCHE, Daniel, *Québec, un siècle d'électricité*, Libre Expression, Montréal, 1979.
LACASSE, Roger, *Baie James: une épopée*, Libre Expression, Montréal, 1983.
SOCIÉTÉ D'ÉNERGIE DE LA BAIE JAMES, Rapport d'activité 1982; «D'un rêve à la réalité: Le complexe de La Grande — Phase I», 1983.

*Alors que les travaux de
construction de la seconde section
de Beauharnois sont complétés en
1953, Hydro-Québec, pour répondre
aux besoins croissants d'électricité,
se tourne vers les sites inexploités de
la région métropolitaine. Les
ingénieurs d'Hydro-Québec
suggèrent d'élever à Carillon, sur la
rivière des Outaouais, une centrale
de pointe plutôt que de construire
une centrale au fil de l'eau.*

Le double aménagement de la Bersimis et la construction des lignes à 315 kV, au nombre des premières construites en Amérique à cette tension, consacrent la réputation d'Hydro-Québec partout dans le monde. De nombreuses délégations d'ingénieurs étrangers viennent se documenter sur les méthodes de construction utilisées. Les travaux de Bersimis I sont complétés en 1956 et aussitôt débutent les travaux de Bersimis 2 dont les trois premiers groupes générateurs sont mis en exploitation en 1959.

administrative serait faite, en 1966, il n'y aurait qu'un seul syndicat pour représenter tous ses employés.

Durant cette même période, le mouvement syndical québécois connaissait des transformations majeures. Bénéficiant du nationalisme naissant, et forte de ses percées dans le secteur public, la Confédération des syndicats nationaux (CSN) doublait ses effectifs en l'espace de quelques années. Certains disaient, et disent encore, que le Premier ministre Lesage avait donné les fonctionnaires provinciaux à la CSN sur un plateau d'argent. Forte de son caractère exclusivement québécois, la CSN partait à l'assaut des effectifs de la Fédération des travailleurs du Québec (FTQ), qu'elle dénonçait comme étant sous la férule des unions canadiennes et internationales.

Mais la FTQ aussi changeait, et certains de ses jeunes dirigeants, avec le slogan «Québec d'abord», affirmaient l'autonomie de la centrale québécoise tant par rapport aux unions internationales et canadiennes que par rapport au Congrès du travail du Canada.

C'est dans ce climat que s'est jouée la lutte intersyndicale pour représenter les employés d'Hydro-Québec, et cette lutte prit une telle envergure qu'aucune autre semblable ne l'a suivie.

Il faut dire que l'activité syndicale n'avait pas attendu le désir d'Hydro-Québec d'avoir un interlocuteur unique pour se déployer. Dans les années 50, la CSN avait tenté de se faire reconnaître comme représentante d'un groupe de monteurs de lignes.

La Commission des relations ouvrières (CRO), que beaucoup de gens accusaient à l'époque de prendre ses directives auprès d'un Premier ministre résolument antisyndical, rejeta la requête, invoquant que les employés d'Hydro-Québec étaient des employés de la Couronne, et qu'à ce titre ils n'avaient pas droit à la négociation collective.

Mais un des premiers changements intervenus lors de l'accession du parti libéral au pouvoir, en 1960, fut une réforme du personnel et du fonctionnement de la CRO.

Aussi en 1960, un avocat syndical chevronné, Me Guy Desaulniers, ayant reçu des demandes d'aide des employés de Labrieville (la ville fermée d'Hydro-Québec, mieux connue sous le nom de Bersimis), entreprit des démarches pour qu'ils obtiennent l'accréditation, et les dirigea vers l'UNESP (Union nationale des employés publics, qui devint, quelques années plus tard, le Syndicat canadien de la fonction publique), affiliée à la FTQ.

La CRO rendit une décision favorable aux employés d'Hydro-Québec, le 9 juin 1961. Ainsi s'ouvrait une période intense d'organisation syndicale à Hydro-Québec, et par la suite dans les compagnies visées par la nationalisation. Car, dès que l'idée de nationalisation fut lancée, les dirigeants des centrales FTQ et CSN se disaient que tôt ou tard il y aurait des négociations uniques pour tous les employés de l'entreprise, et chaque centrale cherchait à se mettre dans la meilleure position possible pour remporter le morceau.

La CSN semblait disposer d'un avantage dans cet affrontement parce que, à cause de ses structures centralisées, elle pouvait assigner toutes les forces matérielles et humaines dont elle disposait sur un terrain particulier. Malgré tout, le SCFP gagnait de nombreuses batailles.

Pendant cette période, parmi les employés du rang à l'exploitation, il y eut une seule grève, celle des employés de bureau d'Hydro-Québec, mais elle ne dura qu'une semaine, en août 1965. Deux mois plus tard, le syndicat indépendant des employés de bureau concluait une entente de services avec le SCFP. Comme celui-ci négociait aussi de son côté, pour les employés de métier, un front commun fut établi et un vote de grève commun fut tenu, autorisant un arrêt de travail à partir du lundi 28

Les employés de bureau d'Hydro-Québec choisissent d'affilier leur syndicat au Syndicat canadien de la fonction publique, le 30 septembre 1966.

novembre 1965, qui aurait touché 1 600 employés de bureau et 2 800 employés de métier. Mais l'employeur a fait de nouvelles propositions et la grève n'a pas eu lieu. Après ce conflit avorté, M. André Thibodeau, directeur québécois du SCFP, déclarait: «Pour moi, il est de plus en plus évident que la grève totale dans la fonction et les services publics est devenue désuète. On pouvait s'en rendre compte dès l'automne 1965, lorsqu'à la suite d'une menace de grève générale dans l'électricité l'employeur a plié et accepté de négocier une trentaine de clauses que nous n'avions légalement aucun droit de négocier à ce moment-là puisqu'il s'agissait d'une réouverture des négociations sur la clause d'ancienneté uniquement. Mais nous avons pris l'employeur par surprise, et celui-ci, pris de panique sous la menace d'une grève générale, avait décidé de se mettre à table.»

Cette déclaration met en lumière l'image que projetait le SCFP à l'époque, une image de modération qui n'était pas sans plaire aux cadres d'Hydro-Québec.

La CSN avait une image plus militante et remportait constamment des gains dans ses luttes intersyndicales avec des syndicats de la FTQ. En une seule année, 1965-1966, elle avait ravi près de 15 000 membres à des syndicats affiliés à la FTQ. Les dirigeants de la centrale croyaient que son caractère exclusivement québécois la destinait à obtenir l'adhésion de la très québécoise Hydro-Québec.

Hydro-Québec, dans cette affaire, ne restait pas passive. Les raisons sociales des compagnies devaient disparaître le 1er janvier 1966. Cette intégration en une seule grande compagnie (divisée au début en huit régions) devait avoir des répercussions sur les relations de travail.

Depuis des mois, les cadres d'Hydro-Québec responsables des relations avec les syndicats se préparaient. Ils avaient réussi à faire en sorte que toutes les conventions collectives sauf une expirent le 31 décembre 1966. Au gré des souvenirs évoqués, on a l'impression que les responsables des relations du travail dans cette entreprise en pleine expansion s'attaquaient à leur tâche avec un certain esprit sportif. Là aussi, le désir d'agir mieux que le reste du secteur public était une motivation puissante.

Le regroupement des forces syndicales était également appuyé par le ministre responsable d'Hydro-Québec, René Lévesque. Au début de 1966, en réponse à des questions de syndiqués, il disait qu'il lui semblait préférable, pour faire face à une grande entreprise, d'avoir un seul syndicat ou du moins un cartel puissant de syndicats.

Mais aucun compromis n'intervint entre les quatre groupes syndicaux en cause, soit la CSN, le Syndicat des employés de bureau, le SCFP et l'International Brotherhood of Electrical Workers (IBEW), affilié à la FTQ.

Devant l'impasse, Hydro-Québec, le 24 février 1966, présenta une requête à la Commission des relations du travail (CRT), lui demandant de mettre fin aux accréditations existantes et d'émettre un seul certificat pour tous les employés de bureau et de métier, mais pas pour les techniciens affiliés au SCFP. La collaboration des syndicats était toutefois requise.

Le 14 avril, la CSN propose au SCFP la création d'un comité conjoint de négociation. Le 18 mai, le SCFP refuse cette proposition, mais, quelques jours plus tard, il propose un vote hâtif chez les employés, qui est accepté dès le lendemain par la CSN. On croit savoir que la CSN, ne voulant pas prendre sur elle l'odieux de refuser un vote, escomptait que l'IBEW, lui, le refuserait.

La première audition de la CRT eut lieu le 12 août. À la surprise de la CSN, l'IBEW, représenté par le président de la FTQ, M. Louis Laberge, accepta lui aussi le vote hâtif.

Le vote fut fixé au 30 septembre et l'employeur lui-même demanda une modification pour que les employés de bureau et les employés de métier votent séparément. Les syndicats avaient un peu plus d'un mois pour mener leur campagne, qui fut intense. Le SCFP fit libérer 45 syndiqués pour la mener, et la CSN en obtint autant: comme le défi était l'immensité du territoire à couvrir, l'arme principale résidait dans les moyens de communication. Les journaux, bien sûr, et l'auteur de ces lignes se souvient, étant chroniqueur syndical à l'époque, à quel point chaque partie s'arrachait des articles favorables. Mais il y avait aussi d'autres moyens. Les conférences téléphoniques et même la télévision en circuit fermé étaient de la partie.

Le vote du 30 septembre fut massif: 90% des inscrits s'exprimèrent. Et le SCFP l'emporta: 59% chez les employés de bureau et 61% chez les employés de métier.

LE CAS DES INGÉNIEURS

Pendant qu'employés de bureau, de métier et techniciens donnaient forme à leur vie syndicale à Hydro-Québec, le syndicalisme s'implantait aussi dans un groupe où cela était plus surprenant, compte tenu des habitudes nord-américaines: les ingénieurs.

L'idée de syndicalisme chez les ingénieurs était apparue au début des années 60. Un événement avait influencé ses partisans: la grève des réalisateurs de Radio-Canada, qui avait introduit la notion de syndicalisme de cadres, laquelle n'était prévue par aucune législation de travail sur le continent.

En 1959, la corporation des ingénieurs du Québec avait introduit dans son code d'éthique un article interdisant aux ingénieurs de devenir membres de syndicats. Par contre, elle favorisait la création de «groupes de communication» permettant des échanges sur une base volontaire entre ingénieurs et direction. Un tel groupe de communication fut créé à Hydro-Québec en 1960.

Mais ce «groupe de communication», auquel participaient même les directeurs généraux, laissait la majorité des ingénieurs sur leur faim. À l'automne 1963, les ingénieurs d'Hydro-Québec (et de la Ville de Montréal), voulant se syndiquer en vertu de la loi des syndicats professionnels (plutôt que du Code du travail), demandent l'assistance de la CSN.

Les ingénieurs ne voulaient pas se réclamer du Code du travail parce que celui-ci, dans ses définitions de l'employé syndicable, excluait nettement toute personne qui avait une fonction de direction. Or, à cause de la nature de leur travail dans une entreprise comme Hydro-Québec, beaucoup d'ingénieurs occupaient de telles fonctions.

Le 10 mai 1965, le syndicat des ingénieurs d'Hydro-Québec se lance dans des «journées d'étude», euphémisme pour désigner la grève.

Le syndicat réclamait la juridiction sur 470 des quelque 550 ingénieurs à l'emploi d'Hydro-Québec, tandis que celle-ci ne voulait en concéder que 280.

Au deuxième jour de la grève, le ministre responsable d'Hydro-Québec, René Lévesque, annonçait que celle-ci avait un nouveau mandat dans ce dossier, que le commissaire Jean-Paul Gignac s'en occuperait personnellement, et qu'il fallait créer du «droit nouveau».

Malgré l'optimisme que pouvait inspirer cette intervention ministérielle, le conflit fut long: cinq semaines, ponctuées de longues séances de négociations et de moments de rupture.

Finalement, le 14 juin, les parties en viennent à une entente en vertu de laquelle Hydro-Québec reconnaissait au syndicat la juridiction sur 441 ingénieurs.

Les ingénieurs cherchaient, en même temps que la reconnaissance syndicale, la reconnaissance de la valeur de leur participation à l'édification de la nouvelle Hydro-Québec. La fierté d'avoir mis au point la nouvelle ligne à haute tension 735 kV revenait sans cesse dans les interviews.

L'entente du 14 juin concédait au syndicat la juridiction sur trois niveaux de commandement: les chefs de division, les chefs de section et les exécutants. Restait à négocier la convention collective.

Il a fallu peu de temps, après que ces négociations furent engagées, pour se rendre compte que le problème de la juridiction n'était pas réglé.

Hydro-Québec était en pleine réorganisation administrative en vue de l'intégration des sociétés nationalisées. Elle maintenait que les conditions étaient changées et qu'elle en avait prévenu le syndicat lors de l'entente du 14 juin. Mais le syndicat niait qu'il y ait eu un tel préavis. Le conflit portait sur le quatrième niveau de commandement, celui des chefs de division, et affectait surtout les nouvelles régions de l'entreprise.

Le 13 avril 1966, les ingénieurs sont de nouveau en grève, et pour les mêmes motifs que l'année précédente. L'enthousiasme était moins grand et on estime qu'au cours du conflit environ 50% des ingénieurs syndicables sont retournés au travail.

C'était aussi période de campagne électorale, et, après la prise du pouvoir par Daniel Johnson et l'Union nationale, le syndicat des ingénieurs a demandé, dès le 20 juin, l'intervention du nouveau Premier ministre.

L'accord sur la juridiction du syndicat est intervenu le 4 juillet, et Hydro-Québec a concédé les chefs de division au syndicat.

Le 13 juillet, un accord sur la convention dans son ensemble intervient, et les ingénieurs retournent au travail après 13 semaines, meurtris par le conflit.

Il n'y a plus eu de grève des ingénieurs d'Hydro-Québec depuis.

LA GRÈVE «CIVILISÉE»

Trois groupes feront donc désormais front commun à l'intérieur du Syndicat canadien de la fonction publique: les employés de bureau, les employés de métier et les techniciens.

Une fois l'accréditation acquise par le SCFP au cours du vote provincial, une tâche herculéenne attendait les parties: ramener 24 conventions collectives à trois, avec tous les problèmes de droits acquis.

La direction du syndicat était soumise à des pressions aussi fortes que contradictoires. Le militantisme avait atteint un niveau très élevé. Notamment, tous ceux qui avaient voté pour la CSN au cours du scrutin provincial étaient très critiques à l'égard du SCFP et le poussaient à être plus intransigeant.

Le SCFP n'avait eu que la période comprise entre le vote, le 30 septembre 1966, et le début des négociations, le 13 février 1967, pour mettre au point ses demandes. Il avait simplement additionné toutes les demandes venant de la base, sans faire de tri.

Du côté d'Hydro-Québec, les responsables de la négociation connaissaient bien les faiblesses du syndicat. Ils se préparaient depuis longtemps à ce premier affrontement, notamment en se familiarisant avec les problèmes des régions.

Les représentants de la direction ont été surpris par l'importance du comité de négociation syndical qui s'est présenté le 13 février. On avait prévu de la place pour trois négociateurs de chaque côté de la table, et le syndicat est arrivé avec un comité de 30. Il a fallu un peu de temps pour trouver la salle qui conviendrait, et pour faire venir, du côté de la direction, le même nombre de négociateurs.

Dès le départ, les parties se sont engagées dans cette guerre de positions qui allait caractériser la suite des négociations.

Autre décision qui allait devenir typique à Hydro-Québec: le syndicat demanda la conciliation alors que les négociations étaient à peine commencées, soit le 27 février. Quand les séances de conciliation ont débuté, le 13 mars, pas une seule clause du projet de convention collective n'avait fait l'objet d'une entente.

Un peu plus tard, le conciliateur, dans une lettre à son supérieur, énumérait les facteurs qui rendaient difficile un accord entre les parties: l'intégration de 24 conventions collectives en trois; les suites des guerres intersyndicales; des erreurs de stratégie des deux côtés, qui ont durci les positions des uns et des autres; le désir quasi fanatique chez certains employés de se prévaloir de leur droit de faire la grève; la méconnaissance, chez les dirigeants syndicaux, des véritables buts de certains de leurs membres nouvellement affiliés; l'attitude plutôt arrogante de l'employeur et son désir quasi fanatique d'exploiter les faiblesses de l'adversaire.

Il y avait là une accumulation de conditions qui semblait mener droit à une grève générale des trois syndicats.

Mais c'était le moment où le gouvernement de l'Union nationale, à Québec, avait adopté une loi pour suspendre le droit de grève des enseignants, et la direction syndicale, à Hydro-Québec, craignait de se faire administrer le même remède amer.

Depuis des mois, en assemblée syndicale, on se préparait à la grève rotative, ou tournante, la grève «civilisée». Le projet était de faire des grèves de 24 heures, une région à la fois. Ainsi, la direction d'Hydro-Québec porterait le fardeau de la grève, et le public ne serait pas touché. C'était une formule d'inspiration européenne, dont on ne connaissait pas d'application précédente en Amérique du Nord.

Entre-temps, la conciliation se poursuivait. Le 19 avril, Hydro-Québec soumettait une contre-proposition moins avantageuse sur plusieurs points, pour les employés, que des offres antérieures. Le 24 avril, les syndiqués donnaient un mandat de grève à leurs dirigeants. Mais le syndicat voulait laisser une dernière chance à la conciliation. L'équipe de négociateurs fut changée, et il n'y avait plus que six personnes de chaque côté de la table. Néanmoins, l'offre faite le 1er mai par l'employeur fut jugée insatisfaisante.

Les principaux points en litige étaient l'ancienneté, l'évaluation des emplois, la sécurité d'emploi — tous thèmes qui reviendront dans des négociations subséquentes — et la parité des salaires à travers la province, problème directement lié à l'intégration des sociétés nationalisées.

Le 1er mai, Hydro-Québec présente encore une autre offre, très éloignée des attentes syndicales. Le comité syndical de négociations recommande aux membres de la rejeter.

Le 6 mai, les parties en viennent à une entente sur le maintien des services essentiels, surtout en ce qui concerne l'Exposition universelle, qui s'est ouverte à Montréal. Là encore, le syndicat cherche à faire la preuve de son sens des responsabilités.

Les grèves rotatives sont déclenchées le 8 mai. Elles furent très bien reçues par les médias. Même le Premier ministre du Québec, Daniel Johnson, au cours d'une rencontre avec les dirigeants du SCFP et de la FTQ, félicitait les syndicats pour le genre d'action qu'ils avaient entreprise, ajoutant qu'il envisagerait d'intervenir s'il y avait une grève générale.

Alors que se succédaient les grèves de 24 heures en rotation, les négociations reprirent plus sérieusement. Le sous-ministre associé au Travail participait directement à la conciliation. Pourtant, les grèves tournantes durèrent sept semaines avant que les parties n'en viennent à une entente.

De semaine en semaine, le rythme des grèves tournantes s'intensifia, celles-ci pesant de plus en plus sur l'employeur. Par exemple, au début, le syndicat donnait un préavis huit heures avant le déclenchement d'une grève, mais, peu à peu, le délai s'amenuisait. Dans la cinquième semaine de grève, les employés se mirent à refuser de faire du temps supplémentaire.

Au cours de cette semaine aussi, les négociations reprirent à Québec, avec la participation de représentants du gouvernement et de la Fédération des travailleurs du Québec. Elles se poursuivirent presque quotidiennement dans la première quinzaine de juin.

À la mi-juin, l'employeur fit une offre qui semblait raisonnable aux négociateurs syndicaux. Ils la soumirent au Conseil syndical, qui l'entérina à son tour, à 60%. Mais les syndiqués de la base ne l'entendaient pas de la même manière, notamment à Montréal, où on jugeait que la parité de salaires offerte avantageait surtout les employés des régions.

Le jour prévu pour un vote de tous les syndiqués sur l'offre patronale, le Conseil syndical, ayant subi des pressions de toutes sortes, modifia sa position et recommanda le rejet, lequel fut voté par 76% des membres.

On en était à la septième semaine de grève, et celle-ci devenait de moins en moins acceptable pour l'opinion publique et pour le gouvernement. À Québec, le gouvernement songeait à adopter une loi pour mettre fin au conflit.

Postes et lignes: un lien indispensable entre l'eau des rivières et les centres de consommation.

Travaux au poste Hertel.

À l'intérieur de la centrale LG-2.

Les négociations reprirent à Québec, particulièrement sur les questions de la rétroactivité et de l'évaluation des emplois.

Les syndicats obtinrent gain de cause sur la rétroactivité, et les parties, dans une lettre d'entente, convinrent de mener une étude conjointe de la question de l'évaluation des emplois. Le 26 juin, l'accord fut entériné au cours d'un vote général chez les employés.

La pression que ce conflit a fait subir aux uns et aux autres est bien illustrée par le fait que le chef négociateur syndical et son homologue du côté patronal se sont retrouvés dans la même unité de cardiaques, dans un hôpital de Montréal, à la fin du conflit.

UN INTERMÈDE PRESQUE HEUREUX

De 1967 à 1979, une seule ronde de négociations collectives entre le SCFP et Hydro-Québec s'est conclue sans grève, et c'est celle de 1969.

Les négociations directes, commencées en novembre 1968, ont duré plus longtemps que d'habitude. Le syndicat n'a demandé l'intervention d'un conciliateur qu'au mois d'août suivant.

Quelques semaines plus tard, le sous-ministre du Travail intervient comme médiateur et une entente de principe est conclue en novembre, sans recours à la grève.

Les vétérans de cette négociation se souviennent qu'à la fin, pendant une quinzaine de jours, les négociateurs de chaque partie campaient littéralement aux bureaux du ministère du Travail à Montréal. À un certain moment, un groupe d'employés de métier ont «enlevé» le principal négociateur syndical pour l'empêcher de recommander une entente qu'ils jugeaient insuffisante pour eux.

Au-delà de ce fait divers, la convention laissait des problèmes en plan. L'évaluation des emplois chez les employés de métier n'était pas complète. Les parties ont convenu d'y travailler, et un nouveau plan devait entrer en vigueur le 2 juillet 1970.

Le plan est contesté par le syndicat dès son entrée en vigueur. Au début de juin 1971, tous les employés de métier font une grève illégale pendant trois jours, jusqu'à ce qu'Hydro-Québec obtienne une injonction.

Un enquêteur spécial souligna dans son rapport que la question de l'évaluation des emplois était litigieuse depuis 1965. (Elle continuera, du reste, à l'être.) Il reprocha à Hydro-Québec son attitude légaliste, et, au syndicat, son impatience. Il recommanda que les négociations sur la nouvelle convention reprennent un peu plus tôt que prévu.

L'ÈRE DE L'INTERVENTION GOUVERNEMENTALE

Dans la décennie 1970, tous les observateurs s'accordent à dire que les relations patronales-syndicales à Hydro-Québec, dans le cadre du renouvellement des conventions collectives, sont devenues plus acrimonieuses.

Ce fut aussi la période des interventions gouvernementales répétées à chaque convention collective.

1972

Les négociations de 1972 se sont ouvertes dans un climat nouveau. Tous les syndicats des secteurs public et parapublic avaient uni leurs forces pour négocier avec leur employeur. Pendant les six premiers mois, le SCFP s'est allié à ce Front commun.

Mais les syndiqués d'Hydro-Québec avaient beaucoup de réserves au sujet de cette alliance. Ces réserves venaient peut-être, entre autres, du fait qu'ils se savaient mieux payés que les autres groupes du Front commun, et qu'ils craignaient de perdre au change.

De plus, les négociateurs patronaux d'Hydro-Québec n'étaient pas présents, du côté de l'employeur, à la table de négociations centrale du Front commun. Finalement, lorsque après six mois les syndicats d'Hydro-Québec se sont dissociés du Front commun, ils n'y sont jamais retournés.

Il est important de souligner que pendant toute cette période des années 70, caractérisée dans les secteurs public et parapublic par un syndicalisme militant et parfois radical, les employés d'Hydro-Québec ne se sont pas laissé tenter par cette tendance. On n'a pas trouvé chez eux le gauchisme qui se manifestait ailleurs. Pourtant les affrontements, les uns après les autres, ont été très durs.

En 1972, à la fin juin, après cinq mois de conciliation, les syndiqués d'Hydro-Québec font la grève. Le ministre du Travail, Jean Cournoyer, nomme immédiatement un médiateur. Mais ce n'est qu'à la fin d'octobre, après le règlement du Front commun, que les négociations, en présence du médiateur, se sont accélérées. Le 6 novembre, c'était de nouveau la grève générale, qui devait durer neuf jours, jusqu'à ce que la loi 73 impose le maintien des services essentiels et amène le retour au travail.

Comme le ministre du Travail évoquait la possibilité de la tenue de séances de la Commission parlementaire du travail, cette perspective créa de la pression sur les parties et les négociations allaient bon train. Les conventions ont été signées le 13 février 1973, après 14 mois de négociations. Les employés d'Hydro-Québec ont obtenu davantage que les syndiqués du Front commun.

1976

Comme s'il y avait un schéma préétabli, certains éléments caractéristiques de 1972 reviennent en 1976. D'abord, courte période de négociations avant le début de la conciliation. Quand la conciliation a commencé, pas un seul point de la convention collective n'avait été réglé. Ensuite, recours à la grève générale d'une journée, le 22 mars, suivie de grèves partielles et rotatives, de nouvelles grèves générales le 30 avril et le 26 mai, et ensuite d'autres grèves partielles.

Le 15 juin, Québec nomme un médiateur spécial qui, un mois plus tard, fait une proposition de règlement qui est acceptée par Hydro-Québec mais rejetée par le syndicat.

Comme indice de l'acrimonie des rapports en cette année de négociations, notons que le nombre de griefs logés dans l'année s'est élevé à 6 043, comparativement à 573 l'année précédente.

Après avoir rejeté les propositions du médiateur, les syndicats déclenchent une grève générale le 16 juillet, suivie d'une autre le 21 juillet.

Le grand événement de cette négociation, celle qu'aucune des parties n'oubliera, c'est l'intervention du ministre responsable d'Hydro-Québec, Jean Cournoyer, qui déclare, le 28 juillet, qu'il a le mandat de régler le conflit à Hydro-Québec.

Désormais, il est clair que le centre de l'action n'est plus à l'intérieur de l'entreprise. Le ministre tient de nombreuses rencontres avec les représentants syndicaux. Le 13 septembre, il fait connaître ses propositions de règlement, qui sont acceptées par les syndicats mais rejetées par Hydro-Québec.

Les rencontres se multiplient, mais sans résultat. Le syndicat déclenche une grève générale le 1er novembre, en pleine campagne électorale québécoise. Plus tôt, le ministre du Travail avait demandé au Premier ministre d'imposer à la direction d'Hydro-Québec le règlement

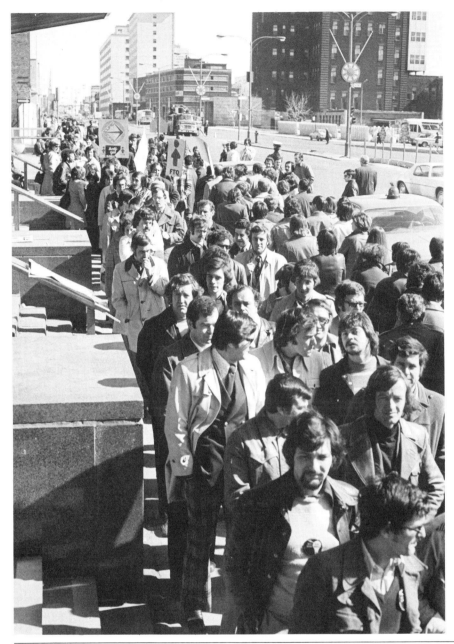

1976. Les syndiqués manifestent devant le siège social d'Hydro-Québec.

qu'il avait mis au point en septembre. Après 10 jours de grève, la direction d'Hydro-Québec annonce qu'elle accepte le règlement imposé par le Premier ministre. Quelques jours encore de discussions sur le protocole de retour au travail, et le conflit prend fin le 14 novembre, la veille du jour des élections.

Deux questions en particulier dans ce règlement soulevaient les passions: l'octroi d'une augmentation de salaire de 6% deux mois et demi avant l'expiration du nouveau contrat, et la clause d'ancienneté des employés de bureau.

Sur cette question d'ancienneté, la «clause Cournoyer» prévoyait la promotion strictement basée sur l'ancienneté, plus une période de 63 jours pour permettre à l'employé de démontrer qu'il pouvait accomplir la tâche. C'est une clause qui fait encore l'objet de discussions animées, les responsables de travail à Hydro-Québec disant que la clause est outrancière, et certains dirigeants syndicaux disant qu'elle est inappliquée.

93

D'autre part, l'intervention politique dans ce conflit reste encore entourée d'un voile de mystère qui ne saurait être levé tant que cette période n'appartiendra pas à l'histoire.

1979

Un élément neuf est introduit dans le jeu des rapports entre Hydro-Québec et les syndicats: le gouvernement, par la loi 55, oblige Hydro-Québec à faire approuver sa politique de négociation par le Conseil du Trésor. C'était en quelque sorte formaliser les rapports qu'il y avait toujours eu entre le gouvernement du Québec et Hydro-Québec en ce domaine, mais, cette fois, Hydro-Québec était en droit de s'attendre à ce que Québec, ayant approuvé une certaine approche, l'appuie jusqu'au bout dans ses positions, et c'est ce qui est arrivé.

La loi fut adoptée le 23 juin, et les syndicats, invoquant qu'ils voulaient donner plus de temps à la négociation, ont déposé leurs demandes le 29 juin 1978, avec quelque six mois d'avance sur le calendrier habituel. Ce n'est qu'à la fin de décembre, toutefois, qu'Hydro-Québec obtenait du Conseil du Trésor l'approbation de son mandat de négociation. Quand la conciliation, demandée par le syndicat, a commencé, en février, il y avait eu à peine une demi-douzaine de rencontres directes. Le scénario se maintenait.

En septembre, le mandat de négociations d'Hydro-Québec est modifié, après consultations avec le président du Conseil du Trésor. Presque immédiatement, le syndicat entreprend une tournée de consultation de ses membres, qui dura du 9 au 31 octobre. À 77%, les votants rejettent les offres d'Hydro-Québec et donnent un mandat de grève à leurs dirigeants syndicaux. La date de la grève générale illimitée est fixée au 28 novembre.

Le 2 décembre, après le début de la grève, Hydro-Québec fait une nouvelle offre, présentée comme étant la totalité de ce que le Conseil du Trésor l'autorise à offrir. L'employeur demande au syndicat de soumettre cette offre aux membres, ce qui lui est refusé. Le syndicat justifie son refus en invoquant qu'il lui faut de trois à quatre semaines pour organiser et tenir un scrutin avec des membres dispersés à travers la province.

Le 10 décembre, le ministre du Travail charge les conciliateurs qui sont déjà au dossier d'agir comme médiateurs, avec l'aide de personnes ressources. Trois jours plus tard, ils soumettent un rapport qui est accepté par Hydro-Québec mais rejeté par le syndicat.

Une brève commission parlementaire, le 17 décembre, fut suivie, le lendemain, d'une loi spéciale, la loi 88, qui ordonnait le retour au travail et décrétait que les conditions de travail seraient celles sur lesquelles les parties s'étaient entendues en négociation, plus celles contenues dans le rapport des médiateurs.

EN GUISE DE CONCLUSION

L'un des points frappants de cette histoire des relations patronales-syndicales à Hydro-Québec est la solidité du front commun des employés de métier, des employés de bureau et des techniciens. Ce sont surtout les employés de métier qui ont la «force de frappe», le pouvoir d'incommoder le public par une grève, mais ils n'ont jamais tenté de faire cavalier seul. Cela dit, il semble y avoir peu de choses positives à évoquer à propos de rapports où jamais les protagonistes ne réussissent à s'entendre en face à face et où le scénario inclut presque toujours une grève et, dans les années 70, un recours au pouvoir politique.

On peut avancer plusieurs explications de cette «maladie» des relations patronales-syndicales à l'époque, mais celle qui a été proposée le plus souvent en cours d'enquête, c'est la faible qualité des rapports humains qui se sont développés entre les négociateurs au cours des ans.

Le 6 juin 1983, le syndicat
professionnel des ingénieurs
d'Hydro-Québec manifeste à sa
façon.

Relations humaines! Voilà un terme qui peut paraître «fleur bleue» ou villageois, s'agissant d'une institution aussi importante qu'Hydro-Québec et de syndicats aussi bien organisés que les siens. On aimerait pouvoir proposer plutôt quelque théorie éclatante de ces échecs répétés. Mais la clef de cette histoire ne réside-t-elle pas précisément dans l'incapacité de s'entendre à l'intérieur d'Hydro-Québec sans recours à des intervenants extérieurs de haut niveau (les conciliateurs eux-mêmes craignent le stress du dossier d'Hydro-Québec)?

Pourtant, se font face à la table des négociations, au départ, des gens qui connaissent bien leur sujet et leurs mandants. De part et d'autre, on a fait l'inventaire des problèmes à soulever en consultant les gens sur le terrain. Il ne s'agit pas, ni d'un côté ni de l'autre, de négociateurs à gages étrangers au dossier.

Le SCFP n'est pas non plus un syndicat à idéologie, tentant de faire passer une vision du monde par le biais des négociations. Certes, pendant une certaine période (notamment 1972 et 1976), le SCFP a pu espérer

95

obtenir davantage en allant jusqu'à Québec, et les faits lui ont donné raison. Ainsi, la crédibilité des négociateurs d'Hydro-Québec en première ligne a été durement atteinte. Il leur arrivait même de ne pas connaître la nature des propositions qui étaient faites plus haut.

Mais dans les entrevues effectuées (en promettant l'anonymat) en préparation de ce texte, ce sont le plus souvent des noms de personnes qui furent cités, de part et d'autre, comme cause des mauvais rapports.

Serait-ce qu'Hydro-Québec, vedette de l'économie québécoise au cours de ces deux décennies, terrain de pratique de la modernité à tant d'égards, en serait restée, dans ses relations patronales-syndicales, au niveau primitif du village et du clan?

Serait-ce que l'entreprise, au sens large, comprenant aussi bien les employés que la direction, n'aurait pas trouvé encore un projet humain qui soit l'égal du grand projet technique réalisé par Hydro-Québec?

ÉPILOGUE

Les négociations de 1982-1983 ont pris une tout autre tournure que dans la décennie précédente. Les parties sont même parvenues à conclure un accord sans qu'il y ait grève, ni même intervention directe du gouvernement du Québec.

On peut parler d'un «happy end», sans triomphalisme cependant, puisque du côté syndical on n'était pas prêt, à la fin, à sortir les banderoles des jours de fête.

Qu'est-ce qui distingue cette ronde de négociations des précédentes?

Il faut d'abord parler de la conjoncture. Les négociations commencent au milieu de la pire récession qu'on ait connue depuis un demi-siècle. Après une longue période ininterrompue d'expansion, Hydro-Québec, à partir de 1980, souffre d'une baisse sensible dans la demande d'électricité, ce qui entraîne une diminution de ses revenus.

De plus, le syndicat sait qu'il n'a rien à attendre comme secours du gouvernement. Non seulement l'a-t-il appris à ses dépens en 1979, mais il ne peut ignorer que le gouvernement a adopté en 1982-1983 une politique salariale très sévère à l'égard du Front commun des salariés des secteurs public et parapublic, incluant même une diminution de salaires dans le premier trimestre de l'application de la nouvelle convention collective.

Outre cet arrière-plan, une autre particularité de cette ronde de négociations fut l'implication personnelle du PDG d'Hydro-Québec, Guy Coulombe, qui vint s'asseoir à la table, au début, au milieu et, plus notoirement encore, à la fin.

Mais revenons sur la séquence. Le 3 juin 1982, M. Coulombe communique au Syndicat canadien de la fonction publique les grandes orientations de l'entreprise en matière de négociations: elle veut réduire substantiellement l'avance des différents groupes de ses employés par rapport au marché du travail de comparaison. (Cette avance était en moyenne de 22% selon les données d'Hydro-Québec.)

Peu après, le syndicat déposait ses demandes. Après presque six mois d'échanges de propositions et de contre-propositions en négociations directes, Hydro-Québec présente, le 10 décembre, une quatrième proposition, qualifiée de «cadre de règlement».

Par la suite, le Syndicat canadien de la fonction publique a consulté tous ses membres au cours d'assemblées tenues en janvier et au début de février. Le 15 février, il était en mesure d'aviser l'entreprise que le «cadre de règlement» était rejeté à 87,3%.

Les rencontres n'en reprennent pas moins. Le 11 mars, M. Coulombe, accompagné du comité de négociation d'Hydro-Québec, rencontre de nouveau les représentants syndicaux pour raffermir l'autorité du comité patronal et inviter le syndicat à une phase ultime d'échanges.

Au cours des semaines suivantes, nouvelles séances de négociation. Le 22 avril, Hydro-Québec demande la conciliation. À noter qu'il y a eu presque une année de négociations avant la conciliation, alors que précédemment c'était le syndicat qui demandait la conciliation, après une demi-douzaine de rencontres.

Après une interruption pendant l'été, les conciliateurs avisent les parties qu'ils ajournent la conciliation. Les négociations directes reprennent entre le syndicat et Hydro-Québec.

Le 22 septembre, le comité de négociation syndical avise ses vis-à-vis patronaux qu'il entend recommander le rejet des propositions patronales. Le 29 septembre, l'exécutif du syndicat entérine cette position.

Mais, le 30 septembre, le porte-parole patronal a appelé son homologue syndical pour lui signifier que le PDG, M. Coulombe, aimerait rencontrer le syndicat.

La rencontre eut lieu le jour même. M. Coulombe était entouré de certains de ses vice-présidents exécutifs et de deux des principaux membres du comité de négociation patronal. Le comité de négociation syndical — une quinzaine de personnes — était là au grand complet.

Après quelques heures d'exploration, on a cru qu'il vaudrait mieux avoir des textes écrits. Mais, tard dans la soirée, le porte-parole syndical rappelait pour demander une nouvelle rencontre avec M. Coulombe, et suggérer de donner une chance à l'exploration.

Le lendemain, samedi 1er octobre, les négociations reprenaient avec M. Coulombe, et elles se sont poursuivies jusqu'au dimanche 2 octobre à midi, alors qu'une entente de principe intervenait, sous réserve d'acceptation par le Conseil du Trésor et les syndiqués.

Il fallut quand même une quinzaine de jours pour formuler par écrit les ententes verbales du premier week-end d'octobre. On eut des difficultés tant quant au fond qu'à la forme.

C'est au cours de l'après-midi du 16 octobre qu'une entente finale fut conclue entre négociateurs patronaux et syndicaux. Le tout fut soumis à des assemblées syndicales et la signature formelle intervint le 2 décembre.

Un «happy end» donc, dont l'avenir dira s'il constitue le début d'une nouvelle ère.

L'aménagement des rivières Manicouagan et aux Outardes donne l'occasion aux ingénieurs d'Hydro-Québec d'affirmer une compétence technique déjà mise à l'épreuve sur les grands chantiers de Beauharnois, Rapide 2, Bersimis 1, Bersimis 2 et Carillon. Le barrage Daniel-Johnson à Manic 5, terminé le 15 août 1968, est par ses dimensions le plus grand barrage à voûtes et contre-forts au monde. Long de 1 314 mètres à la crête, haut de 214 mètres à son point le plus élevé, il pèse près de cinq milliards et demi de kilogrammes.

Manic 3: un autre tour de force. Les ingénieurs font reposer le barrage principal sur un double mur de même type que le mur d'étanchéité du batardeau amont de Manic 5. Jamais auparavant une opération semblable n'avait été tentée.

Commencé en 1961 et terminé en 1967, Manic 2 est le plus grand barrage-poids à joints évidés au monde. Long de 692 mètres et haut de 94 mètres, sa puissance totale est de 1 015 200 kW.

Terminé en 1967, Manic 1 possède une puissance totale de 184 410 kW.

Bien que le débit de la rivière aux Outardes soit moins impressionnant que celui de la Manicouagan, elle offre un potentiel d'autant plus intéressant que les sites des barrages sont aisément accessibles, grâce à l'infrastructure qu'il a fallu mettre en place pour atteindre Manic 5. Ici Outardes 2, dont la mise en service du dernier groupe à l'automne 1978 marquera la fin d'une épopée qui aura duré vingt ans.

Outardes 4

Outardes 3

Les trois centrales de la rivière aux Outardes ajoutent 1 824 000 kW au réseau d'Hydro-Québec, complétant ainsi la puissance de 5 500 000 kW qu'on attendait de tout le complexe Manic-Outardes.

De la belle époque au temps de l'incertitude (1963-1983)

Pierre Lamonde,
économiste et professeur à l'Institut national
de la recherche scientifique

C'est par l'examen des grands choix effectués par Hydro-Québec qu'on peut le mieux évaluer sa place dans l'économie québécoise. Voilà l'option prise dans ce texte, qui examine les cas de Churchill Falls et de la Baie James, pour ensuite discuter de la stratégie de la firme à l'horizon 2001. L'approche adoptée met l'accent sur les prévisions de l'offre et de la demande d'électricité à long terme, car elles ont fortement influencé ces choix. Enfin, les variables du marché sont exprimées en termes physiques et non pas monétaires, de façon à suivre plus fidèlement la démarche de planification de la firme.

LA «BELLE ÉPOQUE», 1963-1969

Les six années qui suivirent la nationalisation de l'électricité furent sans conteste l'âge d'or d'Hydro-Québec, à cause de la conjonction exceptionnelle de trois facteurs favorables: demande dynamique, planification sans incertitude, très bonne image publique.

La demande d'électricité régulière au Québec, c'est-à-dire celle dont Hydro-Québec garantit la livraison, croissait rapidement, soit au taux annuel d'environ 7%. Pour répondre à cette demande dynamique mais sans surprise, les planificateurs de la firme n'avaient qu'à déterminer un calendrier de mise en service de nouvelles centrales hydrauliques de façon à ce que l'offre arrive à temps au rendez-vous.

Plusieurs politiques d'Hydro-Québec s'inspiraient du nationalisme économique, alors en pleine renaissance: par exemple, c'était le cas des politiques d'achat et de la langue de travail, qui étaient très en avance par rapport à la pratique de la majorité des firmes importantes au Québec. L'image publique d'Hydro-Québec ne pouvait qu'en profiter.

UNE PÉRIODE TURBULENTE, 1969-1978

La fin de cette «belle époque» se situe entre 1969 et 1971. Selon plusieurs, elle est survenue en 1969, avec la signature du contrat d'énergie entre Hydro-Québec et Churchill Falls (Labrador) Corporation Limited (CFLCo).

LE CHOIX DE CHURCHILL FALLS

Le gouvernement terre-neuvien tentait d'intéresser le Québec à l'aménagement hydraulique de Churchill Falls, au Labrador, depuis des années. Terre-Neuve n'avait pas la capacité financière pour entreprendre, seule, un tel projet; de plus, le marché québécois était indispensable pour absorber la production de la future centrale. Vers 1965, Hydro-Québec commence à définir un programme d'offre pour satisfaire à la demande québécoise d'électricité au cours de la période 1972-1976. De 1965 à 1972, la mise en service des centrales du complexe Manicouagan-Outardes devait suffire à répondre à la hausse de la demande. Mais il fallait déjà penser à une stratégie post-Manic. Supposant que les besoins prioritaires[1] à satisfaire progresseraient d'environ 7,75% par an, Hydro-Québec anticipait que leur volume passerait de 40,2 milliards de kilowatts-heures (kWh) en 1966 à 62,9 en 1972 et à 84,8 en 1976. Hydro-Québec pouvait, en 1965, choisir entre deux stratégies alternatives.

Opter pour Churchill Falls, dont la puissance aménageable (5 225 mégawatts) et la capacité de production énergétique (36 milliards de kWh par année) étaient plus que suffisantes pour répondre à la croissance des besoins prioritaires entre 1972 et 1976. Le grand désavantage du projet était sa localisation en territoire terre-neuvien. Son attrait majeur: le très faible coût de revient de l'électricité.

1. Besoins prioritaires: consommation d'électricité régulière au Québec plus les livraisons selon entente et les pertes d'énergie dans le réseau.

Ou encore aménager en priorité les ressources hydrauliques québécoises de la côte Nord et de la Baie James. Dans ce scénario alternatif, Hydro-Québec envisageait de faire jouer un rôle d'appoint à quelques centrales thermiques conventionnelles et nucléaires, celles-ci à titre expérimental[2].

Le coût de l'électricité de Churchill Falls était alors estimé à environ 4,7 mills[3] le kWh livré à Montréal, par comparaison à 6 ou 8 mills pour l'électricité qui proviendrait de la côte Nord et de la Baie James. L'avantage financier brut de Churchill Falls, pour des livraisons prévues de 31,5 milliards de kWh, s'établissait donc entre 41 et 104 millions de dollars par an. De ces bénéfices, il était nécessaire cependant de soustraire le coût annuel des divers engagements financiers qu'Hydro-Québec aurait à assumer si elle optait pour Churchill Falls, et qui pouvait s'élever à plusieurs millions de dollars par an (voir l'appendice 1 pour un résumé du contrat d'énergie entre Hydro-Québec et CFLCo). Il fallait aussi tenir compte de certains autres coûts de l'option de Churchill Falls, plus difficiles à mesurer mais non moins réels: ceux du report de la mise en service de deux centrales du complexe Manic-Outardes, nécessité par le surplus d'énergie qu'entraîneraient les fournitures d'électricité de la CFLCo; et ceux de la dépendance d'Hydro-Québec à l'égard d'une source d'énergie étrangère aussi importante. Nous reviendrons sur ces coûts plus loin.

Bien qu'une telle option fût contraire à sa philosophie et à sa pratique depuis sa création, Hydro-Québec choisit Churchill Falls en 1966.

Un contrat vite contesté. C'est en mai 1969 seulement que le contrat d'énergie est ratifié par Hydro-Québec et CFLCo. Il assurait à la première, pendant 65 ans, des livraisons annuelles d'au moins 31,5 milliards de kWh, à un prix ne dépassant pas 3 mills le kWh livré à la frontière[4]. Pour sa part, Hydro-Québec prenait des engagements financiers considérables. Le contrat, selon Hydro-Québec, garantissait des approvisionnements d'énergie aussi sûrs que si celle-ci avait été produite au Québec, à un coût de revient minimum, et pour une durée équivalente à la vie d'une centrale. Si le contrat était théoriquement à toute épreuve, dans les faits il allait donner à Hydro-Québec exactement le contraire de la sécurité recherchée.

Dès 1975-1976, le gouvernement terre-neuvien réclame la renégociation du contrat. Deux clauses lui paraissent désormais insupportables: l'accord tarifaire et le maximum d'énergie rappelable par CFLCo pour usage terre-neuvien (300 mégawatts). Terre-Neuve voulait augmenter le tarif et exigeait aussi qu'on lui cède une tranche de 800 mégawatts (et non pas 300), à un prix ne dépassant pas celui que paie Hydro-Québec pour l'électricité de Churchill Falls.

N'obtenant pas satisfaction, le gouvernement terre-neuvien intente en 1976 une poursuite contre CLFCo[5] et Hydro-Québec, devant la Cour suprême de cette province, pour forcer les deux partenaires à lui céder 800 mégawatts. En 1983, cette cour rejette les prétentions de Terre-Neuve. D'autre part, le gouvernement terre-neuvien adopte en 1980 une loi («The Upper Churchill Water Rights Reversion Act») qui révoque les droits concédés à CFLCo et donne à Terre-Neuve la propriété des installations hydroélectriques de cette firme, libres de toutes obligations. Toutefois, cette loi prévoit le remboursement des créanciers garantis et des dédommagements pour les actionnaires de CFLCo. Cette loi a été jugée *intra vires* par la Cour d'appel de Terre-Neuve en mars 1982; l'affaire a été portée en appel à la Cour suprême du Canada.

Le coût de la dépendance énergétique. Hydro-Québec a sous-estimé, en 1965-1966, deux importants éléments du coût réel de Churchill Falls: celui de la fermeture temporaire et de la réouverture subséquentes des chantiers de deux centrales du complexe Manicouagan-Outardes, dont

2. R.A. Boyd, «Le contrat d'énergie de Churchill Falls: le cheminement d'une décision», *Forces*, numéro 57-58, 1981-1982, p. 66-67.
3. 1 mill = un millième de dollar.
4. À cause de la querelle entre Québec et Terre-Neuve au sujet du tracé de la frontière du Labrador, qui dure depuis 1927, le lieu de livraison de l'électricité de Churchill Falls est appelé généralement «point X»...
5. Cette poursuite contre CFLCo a un caractère paradoxal puisque le gouvernement terre-neuvien est son actionnaire principal, avec 65,8% des actions; Hydro-Québec, pour sa part, en détient 34,2%.

la mise en service fut reportée de quelques années; le coût de la forte dépendance d'Hydro-Québec à l'égard d'une source hydroélectrique étrangère, et qui comportait des risques économiques d'autant plus sérieux que le Labrador constitue depuis 1926 un facteur de tension entre Québec et Terre-Neuve.

Avec le choix de Churchill Falls, la croissance de la production brute d'électricité d'Hydro-Québec ralentit fortement, passant d'un taux annuel de croissance de 7,9% entre 1965 et 1969 à 5,9% entre 1969 et 1972 et à seulement 2,6% de 1972 à 1976. Le degré d'autosuffisance de la firme (production propre sur besoins prioritaires) diminue: de 100,9% en 1971 (un maximum pour la période 1963-1983), il tombe à 70,9% en 1978 (un minimum). Les livraisons de Churchill Falls, commencées à la fin de 1971, ont représenté 39,8% des ventes d'Hydro-Québec en 1978 (un sommet)[6].

Les Québécois prennent pour acquis que le Québec est un exportateur net d'électricité. Ce fut le cas pendant de nombreuses années. Par exemple, de 1960 à 1971, le solde annuel des échanges extérieurs a toujours été fortement positif. Avec les importations croissantes provenant de Churchill Falls, ces surplus ont rapidement été remplacés par des déficits. En 1971, le surplus québécois s'établit à 5,5 milliards de kWh, soit 76,1% des échanges totaux d'électricité (exportations plus importations). En 1972, dernière année pour laquelle le solde reste positif, le surplus était déjà tombé à 2,7 milliards de kWh (17,5% des échanges totaux). Puis ce sont des déficits annuels, qui s'élargissent jusqu'en 1978, atteignant alors 23,7 milliards de kWh et 46,7% des échanges totaux[7].

Est-ce une simple coïncidence si la contestation terre-neuvienne débute en 1975, à une époque où s'est déjà fortement affaibli le degré d'autosuffisance énergétique d'Hydro-Québec? Ce n'est qu'avec la mise en service des premiers groupes producteurs du complexe La Grande Rivière, dans la région de la Baie James, que la dépendance d'Hydro-Québec commence à diminuer. Avec les excédents bruts d'électricité dont dispose la firme depuis 1982 et qui vont durer plusieurs années, le rapport de forces entre Terre-Neuve et Québec a été complètement renversé, comme le signalait récemment le président du conseil d'administration d'Hydro-Québec, M. Joseph Bourbeau[8].

LA BAIE JAMES, UN PROJET MAL AIMÉ

Vers 1970, Hydro-Québec commence à esquisser son plan d'équipement pour la période 1978-1985. Partant d'un volume anticipé de besoins prioritaires d'environ 96 milliards de kWh en 1978, Hydro-Québec projetait ceux-ci au taux annuel de 7,75%, ce qui donnait 162 milliards de kWh en 1985, soit un accroissement de 66 milliards de kWh. Faire face à une telle hausse constituait un défi énorme car la production propre d'Hydro-Québec n'était en 1970 que de 52,4 milliards de kWh (en excluant les livraisons provenant de réseaux voisins).

Un choix hésitant. Dans les années 1966-1969, Hydro-Québec penchait nettement en faveur du nucléaire pour la période post-Churchill Falls[9]. Néanmoins, la Baie James faisait l'objet d'études exploratoires depuis plusieurs années. Finalement, c'est avec beaucoup d'hésitation et sous la forte pression du gouvernement québécois qu'Hydro-Québec opte pour la Baie James à la fin de 1970: «Sans anticiper sur les conclusions des études en cours ni sur les décisions dont elles seront suivies, et sans préjuger non plus les difficultés de toute nature qui peuvent surgir, disons qu'en général les prix de revient actuels des autres formes d'énergie favorisent l'examen des ressources hydrauliques encore inexploitées du plateau laurentien[10].»

Lors de l'annonce du projet en avril 1971, c'est le complexe NBR[11],

6. Hydro-Québec achète aussi, à chaque année, de l'électricité québécoise provenant de réseaux privés possédés par des entreprises industrielles.
7. Source: *Les Statistiques de l'énergie au Québec, 1981*, Énergie et Ressources, Québec, 1982, p. 111; aux importations présentées dans ce document, nous avons ajouté les achats d'électricité provenant de Churchill Falls.
8. «Les excédents d'Hydro. Les menaces de Terre-Neuve perdent de leur force», *Le Devoir*, 5 octobre 1983.
9. Voir J.-C. Lessard, président de la firme en 1969: «Hydro-Québec: placement d'avenir», *Forces*, 7, printemps 1969, p. 7; dans le même numéro, une opinion identique de Y. DeGuise, alors commissaire d'Hydro-Québec, était aussi exprimée, p. 21.
10. *Rapport annuel 1970*, Hydro-Québec, «Rapport du président», p. 6 (en date du 5 mars 1971).
11. NBR: les rivières Nottaway, Broadback et Rupert.

La centrale de Beauharnois, une des plus anciennes et des plus puissantes d'Hydro-Québec.

À l'IREQ, l'avenir est un souci quotidien.

dans la partie méridionale de la Baie James, qui est censé être développé en priorité. Mais en mai 1972 Hydro-Québec dévoile les résultats d'une analyse comparative des coûts de 26 programmes d'équipement alternatifs pour la période 1978-1985[12]: c'est le projet La Grande Rivière, dans la partie septentrionale de la Baie James, qui offre le coût de revient actualisé le plus bas; le coût du kWh de ce projet est inférieur de 6% par rapport à celui du complexe NBR, venant au second rang; l'avantage comparatif de La Grande Rivière sur le thermique conventionnel est de 13% le kWh, et, sur le nucléaire, d'au moins 14%.

Le gouvernement et Hydro-Québec font donc connaître leur nouvelle stratégie: La Grande Rivière sera aménagée en premier; outre son coût de revient inférieur à tout autre projet, cette option minimise, déclare-t-on, l'impact sur l'environnement.

Configuration technique du projet. De 1971 à 1978, le profil du projet change fréquemment. C'est en 1978 seulement que la version finale est annoncée. Désormais, on distingue entre une phase 1 et une phase 2 de l'aménagement du complexe, la première couvrant la période 1971-1985, la seconde la période post-1985. Dans la phase 1, trois centrales, au lieu de quatre, sont prévues: LG-2, LG-3, LG-4, dont la mise en service doit s'échelonner entre 1979 et 1985. La puissance totale des trois centrales est de 10 269 mégawatts (MW) et leur capacité de production énergétique est de 62,5 milliards de kWh. L'estimation finale du coût de la phase 1, en date de 1981, est de 14,6 milliards de dollars[13]. Quant à la phase 2, elle comprendra éventuellement six centrales, dont LG-1, comportant une puissance globale de 2 793 MW et une capacité de production de 19,7 milliards de kWh. Une hausse de la demande moins forte que prévue, dans la décennie 70, explique le report de LG-1 (puissance de 1 041 MW et capacité de production de 7,3 milliards de kWh) à la phase 2.

Un mauvais départ. La Baie James a connu un bien mauvais départ[14]. Annoncé le 30 avril 1971, lors d'une assemblée partisane, le projet fut en butte immédiatement à une forte opposition politique. Lancé trop tôt, avant même que sa configuration générale ne fût déterminée, il provoqua beaucoup de confusion dans l'opinion publique. S'ajouta le problème de la gérance de l'aménagement des ressources hydrauliques de la Baie James: il fallut attendre plus qu'un an avant qu'il n'apparaisse, au soulagement général, que la gérance serait exercée par Hydro-Québec, qui seule avait la capacité technique et administrative de réaliser un projet aussi vaste.

Ce départ cahoteux empêcha le gouvernement et Hydro-Québec de déclencher à temps un processus efficace de consultation auprès de la population québécoise et des autochtones de la région. Le projet souleva donc une vive contestation de la part des Indiens et des Inuits, appuyés par plusieurs groupes écologiques. D'autre part, les chantiers de la Baie James devinrent le théâtre de rivalités violentes entre les deux grandes centrales syndicales, dont l'enjeu était le recrutement des travailleurs.

C'est seulement vers 1975 que le contexte s'améliore. La contestation autochtone cesse avec la signature d'un accord conclu entre, d'une part, les Indiens et les Inuits, et, d'autre part, les gouvernements du Québec et du Canada, le 11 novembre 1975.

Succédant à la violence syndicale qui atteint un paroxysme le 21 mars 1974 avec le saccage d'une partie du campement des travailleurs à LG-2, la paix sociale s'impose peu à peu. Quant à l'opposition politique au projet, elle s'atténue beaucoup après la première crise du pétrole et les ratés de plus en plus sérieux du nucléaire. Le projet connaît donc une bonne arrivée!

Un projet vital pour le Québec. Mais les mérites de La Grande Rivière ne sont pas encore pleinement appréciés. Ce complexe est pour-

12. *Programmes d'équipement 1978-1985,* Hydro-Québec, Direction de la Planification, 15 mai 1972.
13. À moins d'indications contraires, il s'agira toujours de dollars canadiens.
14. Pour une description du contexte socio-politique du projet à ses débuts, voir C. Hogue, A. Bolduc et D. Larouche, *Québec, un siècle d'électricité,* Libre Expression, Montréal, 1979, chapitre 21: «Un projet réhabilité: la Baie James»; voir aussi R. Lacasse, *Baie James, une épopée,* Libre Expression, Montréal, 1983, chapitres 4 à 7.

tant vital pour l'économie québécoise.

• Réduction de la dépendance énergétique québécoise. Le degré d'autosuffisance d'Hydro-Québec[15], après avoir atteint un creux sans précédent de 70,9% en 1978, se met à remonter en 1979 avec la mise en service graduelle des centrales de La Grande Rivière. Il était déjà rendu à 80,6% en 1982 et à 100,9% en 1983. Il atteindra probablement 115% en 1985[16]. Bien sûr, une partie de ce redressement est imputable au ralentissement de la croissance des besoins prioritaires, qui ne s'est faite qu'au taux annuel moyen de 1,8% entre 1978 et 1983. Il est probable que le rythme annuel moyen de progression des besoins prioritaires, pour la période 1971-1985, ne s'établira qu'à 5,2% plutôt qu'à 7,75% comme prévu par la firme au début de cette période. Mais même si le taux de 7,75% par an avait prévalu, le degré d'autosuffisance, qui aurait alors atteint un minimum de 66,1% en 1978, serait remonté à 80,9% en 1985[17].

De plus, l'aménagement de La Grande Rivière (phase 1) a permis à Hydro-Québec d'acquérir des connaissances importantes relativement à trois complexes voisins: La Grande Rivière (phase 2), NBR et Grande Baleine, dont la puissance totale est évaluée à plus de 12 000 MW et qui pourraient être aménagés rapidement. Leur développement futur contribuera aussi à renforcer considérablement le degré d'autosuffisance de la firme. En fait, les nombreuses études et les travaux d'infrastructure effectués par la Société d'énergie de la Baie James, filiale d'Hydro-Québec, dans l'ensemble de la Baie James ont permis l'ouverture d'un territoire dont la superficie équivaut aux deux tiers de celle de la France...

• Rejet du nucléaire. Hydro-Québec a eu le mérite, en 1971, d'opter pour la Baie James de préférence au nucléaire, alors en grand essor en Amérique du Nord. L'électronucléaire symbolisait alors, pour beaucoup de gens, une nouvelle révolution technologique. Des adversaires du projet de la Baie James proposèrent en 1971 une solution de rechange: la mise en place d'un bloc nucléaire d'environ 6 000 à 7 000 MW, complété par quelques centrales hydrauliques et thermiques (au mazout). Les conséquences de l'adoption d'une telle stratégie seraient aujourd'hui très onéreuses pour le Québec. En 1972, on estimait que le coût de revient de La Grande Rivière serait inférieur de 2 mills le kWh à celui d'une centrale nucléaire[18]; en 1974, cet écart était évalué à 3,4 mills[19]; en 1983, tout indique que la marge s'est très fortement accrue. Selon des informations fournies par Hydro-Québec, le kWh produit à La Grande Rivière et livré à Montréal est de 24 mills, alors que celui provenant de la centrale nucléaire de Gentilly 2 se situe entre 40 et 50 mills, soit de 16 à 26 mills de plus[20]...

Si la contre-proposition des adversaires de La Grande Rivière avait été réalisée, on aurait installé des centrales nucléaires pouvant produire au moins 40 milliards de kWh: avec un écart moyen du coût de revient de 20 mills le kWh par rapport à celui de La Grande Rivière, ce complexe nucléaire aurait entraîné un supplément annuel de coûts totaux de production de 800 millions de dollars, soit l'équivalent des profits d'Hydro-Québec en 1982!

Certes, la décision d'aménager la Baie James ne signifiait pas pour Hydro-Québec en 1971 le rejet du nucléaire mais son report de 1978-1979 à 1988-1989. Ce rééchelonnement allait s'avérer cependant d'une très grande importance. En effet, avec les deux crises du pétrole (1973-1974 et 1979-1980), les centrales thermiques au mazout sont devenues plus coûteuses à faire fonctionner; quant au nucléaire, ses faiblesses sur le plan de la sécurité et les fortes hausses de son coût de revient sont apparues de plus en plus sérieuses à partir de 1975[21].

À la fin de la décennie 70 et avant même le rajustement radical à la baisse de ses prévisions de la demande, Hydro-Québec pouvait considé-

15. Rappelons qu'il est mesuré par le rapport de la production propre d'Hydro-Québec sur les besoins prioritaires québécois.

16. Selon les données du *Plan de développement d'Hydro-Québec, 1984-1986, Horizon 1993*, 1983, tableaux 12 et 15.

17. Nous supposons que, face à une telle croissance, LG-1 aurait été construit dans la phase 1. Dans le cas contraire, le degré d'autosuffisance aurait été de 77,8% en 1985.

18. *Programme d'équipement 1978-1985*, op. cit.

19. *Comparaison entre les coûts de l'énergie du complexe hydroélectrique de la Baie James et d'un projet nucléaire canadien équivalent*, Hydro-Québec, document déposé à la Commission parlementaire des richesses naturelles, juillet 1974.

20. L'estimation du coût unitaire de Gentilly 2 semble un peu faible par comparaison à une évaluation de l'Organisation de coopération et de développement économique: en 1982, cet organisme estimait, selon trois scénarios, le coût de revient du nucléaire entre 39 et 68 mills le kWh, en dollars américains. Traduit en monnaie canadienne au taux de change de 1982, ce coût varie entre 48 et 84 mills le kWh. (OCDE, *Perspectives de l'énergie nucléaire jusqu'en l'an 2000*, Paris, 1982.)

21. I.C. Bupp, «Nuclear power: the promise melts away», in R. Stobaugh et D. Yergin (éd.), *Energy Future*, Vintage Books, New York, 1983, chap. 5, p. 134-172.

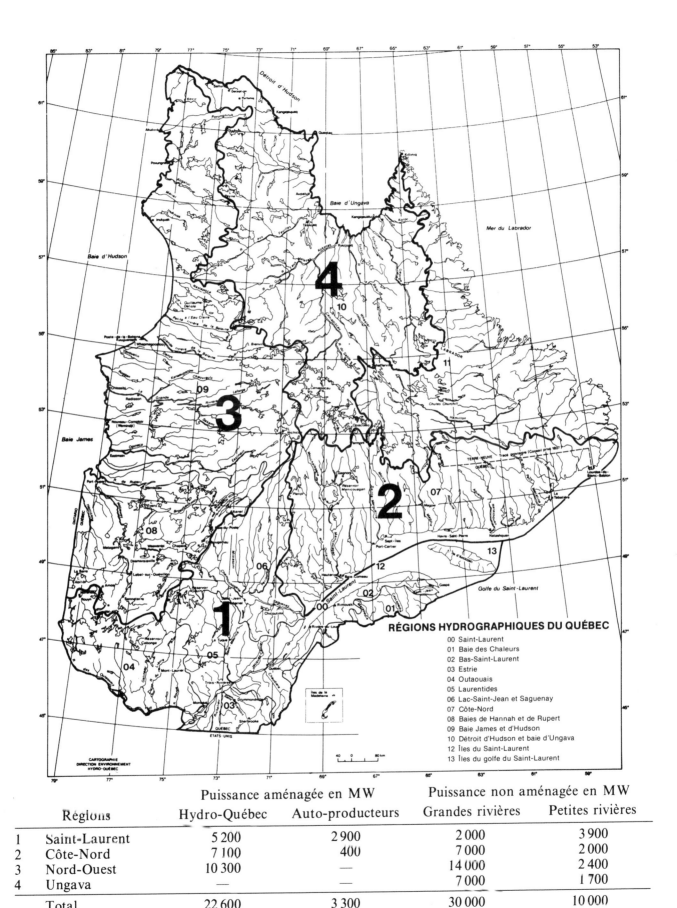

RÉGIONS HYDROGRAPHIQUES DU QUÉBEC

00 Saint-Laurent
01 Baie des Chaleurs
02 Bas-Saint-Laurent
03 Estrie
04 Outaouais
05 Laurentides
06 Lac-Saint-Jean et Saguenay
07 Côte-Nord
08 Baies de Hannah et de Rupert
09 Baie James et d'Hudson
10 Détroit d'Hudson et baie d'Ungava
12 Îles du Saint-Laurent
13 Îles du golfe du Saint-Laurent

| Régions | Puissance aménagée en MW | | Puissance non aménagée en MW | |
	Hydro-Québec	Auto-producteurs	Grandes rivières	Petites rivières
1 Saint-Laurent	5 200	2 900	2 000	3 900
2 Côte-Nord	7 100	400	7 000	2 000
3 Nord-Ouest	10 300	—	14 000	2 400
4 Ungava	—	—	7 000	1 700
Total	22 600	3 300	30 000	10 000

rer désormais que le potentiel hydraulique de base du Québec, économiquement aménageable après la phase 1 de La Grande Rivière, suffisait à répondre aux besoins prioritaires au moins jusqu'en 1997[22]. En fait, ce potentiel permet d'aller au-delà de cette date. Même en acceptant l'estimation très conservatrice d'un potentiel économiquement aménageable (aux conditions présentes) de seulement 15 000 MW[23], les ressources hydrauliques du Québec, *en excluant les livraisons de Churchill Falls*, suffiraient à satisfaire les besoins prioritaires jusqu'en 2003 avec un taux de croissance de ceux-ci de 3,8% par an, et jusqu'en 2011 avec un taux de 2,8%; si on inclut les livraisons de Churchill Falls, ces dates deviennent, respectivement, 2007 et 2016.

Il apparaît donc de plus en plus certain que le Québec pourra faire l'économie du nucléaire tel qu'on le connaît. La décision d'aménager la Baie James est pour beaucoup dans cette situation privilégiée.

• Un moteur économique puissant. Avec l'aménagement de La Grande Rivière, Hydro-Québec devient le géant de l'économie québécoise. La part relative de la firme dans les investissements québécois, qui s'était établie en moyenne à 8,9% pendant la période 1963-1974[24], grimpe à 12,3% en 1975 et atteint un sommet de 24% en 1978, avant de redescendre jusqu'à 19,6% en 1982. Comme environ 77% des dépenses de construction de La Grande Rivière retournent à l'économie québécoise sous la forme d'achats de biens et services, leur impact est donc très fort. Pendant la période 1975-1982, où le PIB québécois ne s'est accru, en termes réels, que de 1% par an, les investissements de La Grande Rivière ont donc joué un rôle stabilisateur extrêmement utile.

Les effets totaux de l'aménagement de la phase 1 de La Grande Rivière sur l'emploi ont été estimés, en moyenne annuelle, à 14 500 personnes-années[25]. Si on considère l'impact de l'ensemble des activités d'Hydro-Québec, la place de la firme est évidemment encore plus imposante: en 1982, c'est un volume d'emploi de 52 000 personnes-années que soutiennent ces activités[26].

LE TEMPS DE L'INCERTITUDE, 1978-1983...

Au sortir d'une période aussi turbulente, vers 1978, Hydro-Québec pouvait envisager l'avenir avec confiance. L'entreprise avait surmonté avec brio les difficultés de l'aménagement de La Grande Rivière. Dans moins d'un an, les premiers groupes producteurs de LG-2 allaient apporter leur contribution à la production de la firme.

RUPTURE DE LA DEMANDE

Pourtant, cette assurance face à l'avenir allait vite céder la place à un changement radical d'attitude: le temps de l'incertitude devait bientôt commencer, amené par le freinage de la demande à partir de 1978. Les besoins prioritaires s'étaient accrus au taux moyen de 6,7% par an entre 1965 et 1978. Puis cette tendance casse: le rythme tombe à 1,8% par an entre 1978 et 1983. En outre, ce taux moyen cache des fluctuations annuelles tout à fait inhabituelles: accroissement de 2,1% en 1979, puis de 8,4% en 1980, stagnation en 1981 (0,2%), suivie par une chute de 1,4% en 1982 et une faible hausse de 0,4% en 1983. Toutefois, c'est seulement en 1982 qu'Hydro-Québec y verra une rupture de l'évolution à long terme de la demande.

Cette prise de conscience a cependant été précédée par la reconnaissance, vers 1977, que le taux traditionnel de projection (7,75% par an) devait être rajusté à la baisse: cette année-là, il est ramené à 7,4% par an; en 1978, il passe à 7,1% et, en 1979, à 6,5%. Dans sa «stratégie pour la décennie 1980», présentée en 1980, la firme prévoit une progression des

22. *Une stratégie pour la décennie 1980*, Hydro-Québec, décembre 1980.
23. Sur un potentiel total de 40 000 MW pouvant encore être développé après la phase 1 de La Grande Rivière. L'estimation du potentiel économiquement aménageable, soit 15 000 MW, apparaît très faible car Hydro-Québec n'en a pas fait de révision à la hausse depuis plusieurs années, en dépit de la très sérieuse escalade du coût de revient de l'électronucléaire, qui lui sert de critère de comparaison.
24. Il faut dire que ce taux est resté bas pendant cette période à la suite de la décision d'Hydro-Québec d'importer de l'électricité de Churchill Falls.
25. *Les Retombées économiques québécoises de l'aménagement hydroélectrique La Grande - Phase 1*, Hydro-Québec, vice-présidence des Finances, juillet 1981.
26. Il s'agit de la main-d'oeuvre employée directement par Hydro-Québec, la SEBJ et leurs sous-traitants, de même que de celle qui est créée chez les fournisseurs de biens et services. (Source: *L'Électricité, source d'innovation et de développement*, Hydro-Québec, mars 1983.)

besoins prioritaires de 6% entre 1980 et 1996[27]. Arrêtons-nous sur ce taux: même inférieur de 1,75 point à celui qu'utilisait la firme avant 1977 (7,75%), il pouvait sembler déjà surestimé: les besoins prioritaires n'avaient augmenté que de 4,7% par an, entre 1976 et 1979.

En 1982, Hydro-Québec surprend l'opinion publique: dans un plan de développement à l'horizon 1992, elle annonce que, selon un scénario de croissance moyenne, les besoins prioritaires ne vont progresser que de 3,7% par an de 1980 à 1998[28]. Il s'agirait d'une nouvelle époque: «le rythme historique de croissance des ventes est cassé», déclare-t-on[29]. En 1983, nouveau choc: Hydro-Québec rajuste de nouveau à la baisse ses prévisions des besoins prioritaires: selon le nouveau scénario moyen, le taux annuel moyen de projection est maintenant seulement de 2,8% à long terme (1981-2001)[30].

UN EXCÈS DE PESSIMISME?

Les prévisions d'Hydro-Québec sont-elles trop faibles? Une comparaison entre celles-ci et des projections de l'OCDE le laisse croire. De 1960 à 1973, la demande *totale* d'électricité s'était accrue plus vite dans les pays membres de l'OCDE (7,0% par an) qu'au Québec (5,3%). De 1973 à 1980, c'est l'inverse: le taux québécois est de 5,2% par comparaison à 3,2% pour celui de l'OCDE (tableau 1). Suite au premier choc pétrolier, les consommateurs québécois se sont mis à remplacer de plus en plus les produits pétroliers par l'électricité: la part relative de celle-ci dans la consommation énergétique totale est passée de 20,2% à 27,2% entre 1973 et 1980, alors que la proportion du pétrole tombait de 72,8% à 63,6%. Cette substitution rapide explique la supériorité du taux de croissance observé de la demande d'électricité au Québec après 1973 par comparaison à celui de l'OCDE. Cependant, il y aurait un nouveau retournement de situation entre 1980 et 2000, du moins selon ces prévisions: alors qu'Hydro-Québec anticipe que la consommation québécoise *totale* n'augmentera que de 2,3% par an, l'OCDE prévoit que la consommation des pays membres progressera au taux de 2,9%. Pour expliquer cet écart, il faut examiner les projections du PIB réel et de l'élasticité de la demande d'électricité par rapport à celui-ci.

De 1960 à 1980, le PIB réel s'est accru un peu plus vite au Québec que dans les pays de l'OCDE, soit de 4,2% par an par comparaison à 4,1%. Ce

27. *Une stratégie pour la décennie 1980*, Hydro-Québec, décembre 1980.
28. *Plan de développement d'Hydro-Québec, 1983-1985, Horizon 1992*, 1982, tableaux 8 et 14. Les scénarios faible et fort, pour leur part, prévoyaient un taux annuel respectif de 2,6% et de 4,7% entre 1980 et 1998.
29. *Rapport annuel 1982*, Hydro-Québec, «Message du président du conseil d'administration», p. 7.
30. *La Demande d'électricité au Québec, 1981-2001*, Hydro-Québec, document complémentaire au plan de développement, 1983. Notons que, selon le même scénario, le taux de projection pour la demande d'électricité régulière au Québec est de 2,9% entre 1981 et 2001.

TABLEAU 1

Taux de croissance du PIB réel et de la demande d'électricité, 1960-1980-2000, OCDE et Québec

Périodes	(1) PIB réel		(2) Demande d'électricité		Élasticité:	(2)/(1)
	OCDE	Québec	OCDE	Québec*	OCDE	Québec
	(taux de croissance annuel moyen en %)					
1960-1973	5,0	5,2	7,0	5,3	1,4	1,0
1973-1980	2,5	2,4	3,2	5,2	1,3	2,2
1960-1980	4,1	4,2	5,7	5,3	1,4	1,3
1980-2000**	2,8	2,1	2,9	2,3	1,0	1,1

Sources: *Comptes économiques des revenus et des dépenses*, Québec, BSQ, 1982, *Perspectives de l'énergie nucléaire jusqu'en 2000*, OCDE et AIE, Paris, 1982; *La Demande d'électricité au Québec, 1981-2001*, Hydro-Québec, 11 août 1983.

* Consommation totale d'électricité au Québec et non pas seulement les besoins prioritaires auxquels doit répondre Hydro-Québec. La consommation totale inclut, en particulier, celle de certaines entreprises manufacturières qui possèdent leurs propres centrales hydrauliques.

** Pour les pays de l'OCDE, il s'agit de la moyenne des projections des scénarios de croissance haute et de croissance basse, et, pour le Québec, des projections du scénario moyen d'Hydro-Québec quant à la demande totale.

serait l'inverse de 1980 à 2000: le taux québécois (2,1%) serait inférieur de 25% à celui de l'OCDE (2,8%). En outre, l'élasticité de la demande québécoise, après s'être maintenue à 2,2 entre 1973 et 1980, tomberait à 1,1 pour la période 1980-2000. Mais l'élasticité, pour les pays de l'OCDE, ne baisserait que de 1,3 à 1,0. Compte tenu des hypothèses pessimistes d'Hydro-Québec, il n'est pas étonnant de constater que la demande totale d'électricité est censée croître beaucoup moins rapidement au Québec que dans les pays de l'OCDE. Les planificateurs d'Hydro-Québec se laissent-ils trop influencer par le contexte à court terme de la crise de 1982?

C'est l'avis des analystes du ministère québécois de l'Énergie et des Ressources. Dans des prévisions en date de septembre 1983, ceux-ci anticipent une croissance de 3,3% par an entre 1981 et 1995 pour la demande totale d'électricité au Québec, et de 4,0% par an pour les ventes intérieures d'Hydro-Québec; c'est donc nettement plus que les taux correspondants de la firme pour la même période (2,2% et 2,7% par an)[31]. Les experts gouvernementaux en concluent que les prévisions d'Hydro-Québec correspondent à la limite tout à fait inférieure de la fourchette des prévisions possibles.

Des prévisions d'Informetrica pour l'ensemble du Canada, en date de juin 1983, font aussi conclure à une probable sous-estimation dans les projections d'Hydro-Québec. De 1981 à 2001, selon le scénario moyen d'Informetrica, le taux de croissance annuel de la consommation totale d'électricité au Canada s'établirait à 2,9%, soit un écart de 26% par rapport au rythme prévu par Hydro-Québec pour la province pendant la même période (2,3% par an); quant à la progression du PIB réel canadien, elle se ferait au taux de 2,7% par an sur la même période (par comparaison à 2,3% pour le Québec selon Hydro-Québec)[32].

Enfin, des projections récentes de la Banque mondiale font également apparaître le caractère pessimiste des prévisions d'Hydro-Québec. Selon un scénario moyen de la Banque pour les pays industriels à économie de marché, le PIB réel, entre 1980 et 1995, croîtrait au taux de 3,1% par an, la demande d'électricité de 4,9%, et l'élasticité de celle-ci serait de 1,6[33].

ÉNERGIE EXCÉDENTAIRE ET MANQUE À GAGNER

Selon son scénario moyen de 1983, Hydro-Québec aurait d'importants excédents bruts[34] d'électricité entre 1984 et 1987. Pour vendre ces excédents, la firme entend donner la priorité aux exportations vers les provinces voisines, et surtout vers les États-Unis, où elle peut obtenir des prix très intéressants. Ses interconnexions avec les réseaux extérieurs étant pleinement utilisées, elle doublera leur capacité d'ici 1988, ce qui permettra de donner une nouvelle impulsion aux exportations. Hydro-Québec a aussi comme stratégie provisoire de développer le marché québécois de l'électricité excédentaire[35].

En dépit de ces efforts, Hydro-Québec ne parviendrait pas à vendre tous ses excédents bruts de 1984 à 1987: les excédents nets ou non vendus atteindraient le total cumulatif de 52,3 milliards de kWh (tableau 2). Toutefois, pendant la période suivante (1988-1993), ceux-ci disparaissent. Comme le manque à gagner entraîné par un kWh non commercialisé est estimé à 30 mills[36], les 52,3 milliards de kWh non vendus entre 1984 et 1987 inclusivement représentent pour Hydro-Québec une perte de revenus potentiels de près de 1,6 milliard de dollars, soit 400 millions de dollars par an en moyenne.

ÉQUIPEMENT DE PRODUCTION: CROISSANCE ZÉRO...?

Avec une prévision de croissance moyenne des moyens prioritaires de seulement 2,8% par an entre 1981 et 2001, Hydro-Québec a choisi en 1983 de reporter la mise en service de tout nouvel équipement de base jus-

31. Document de travail, Ministère de l'Énergie et des Ressources, Québec, 1er septembre 1983.

32. *The Canadian Economy to 2000. Post-Workshop I-83, Forecast*, Informetrica, Ottawa, Canada. Il faut noter que la période ici utilisée (1981-2001) est différente de celle du tableau 1 (1980-2000) et que par conséquent les taux québécois le sont aussi.

33. *Rapport sur le développement dans le monde, 1983*, Banque mondiale, 1983, tableaux 3.1 et 3.2.

34. Excédents bruts: voir la définition au tableau 2.

35. Dans ce marché, les tarifs sont moins élevés car les livraisons ne sont pas garanties à long terme.

36. Déclaration de M. Guy Coulombe, PDG d'Hydro-Québec, à la Commission permanente de l'énergie et des ressources, le 26 octobre 1982, *Journal des Débats*, p. B-8899.

TABLEAU 2

Excédents d'électricité d'Hydro-Québec selon son scénario moyen de la
croissance des besoins prioritaires, 1981-1993

Périodes	Disponibilités d'énergie*	Besoins prioritaires	Excédents bruts	Ventes d'électricité excédentaire** au Québec	Exportations***	Excédents nets (non vendus)
	(1)	(2)	(3)=(1)-(2)	(4)	(5)	(6)=3-(4+5)
	(En milliards de kWh)					
1981 à 1983	381,2	295,5	85,7	7,8	55,3	22,6
1984 à 1987	646,5	440,7	205,8	45,4	108,1	52,3
1988 à 1993	1003,2	775,6	227,6	38,0	189,6	———

Sources: *Plan de développement d'Hydro-Québec, 1984-1986, Horizon 1993*, 1983.

  * Capacité de production d'Hydro-Québec moins la variation des réserves par accumulation (+) ou par prélèvement (-), plus achats auprès de CFLCo et d'autres réseaux.
  ** Électricité ne comportant pas de garantie de livraison à long terme.
  *** Les exportations ont utilisé la capacité des interconnexions à 95,3% en moyenne de 1981 à 1983 inclusivement; selon les prévisions de la firme, ce taux sera de 88,2% entre 1984 et 1987, et de 83% par la suite jusqu'en 1993.

qu'en 2000 et de celui de pointe jusqu'en 1992. Une fois achevée la phase 1 de La Grande Rivière en 1985, la firme ne recommencerait à construire des centrales de base qu'en 1993, et de l'équipement de pointe que vers 1988-1989. Hydro-Québec, qui n'a cessé de bâtir des ouvrages plus importants les uns que les autres dans les quatre premières décennies de son existence et qui doit sa réputation internationale à cette activité intense, mettrait celle-ci en veilleuse pendant plusieurs années.

Selon cette stratégie, les centrales actuelles de la firme et ses achats d'énergie auprès de CLFCo et d'autres réseaux lui fourniront assez d'électricité pour répondre aux besoins prioritaires québécois jusqu'en 2000. Mais cette option implique aussi qu'à partir de 1990 ses disponibilités d'énergie deviendront insuffisantes pour maintenir les exportations au niveau de forte utilisation de la capacité des interconnexions qui sera atteint entre 1984 et 1989, soit 90,5% en moyenne. Les exportations tomberaient de 35 milliards de kWh en 1989 (92,1% de la capacité) à 29,6 milliards en 1991 (77,9%), à 28,4 milliards en 1993 (74,7%), pour finalement devenir insignifiantes en 1999 (6,6 milliards de kWh et 17,4% de la capacité) et disparaître effectivement en 2000.

Un tel scénario *malthusien* est-il vraisemblable? Après avoir tant mis l'accent sur les avantages financiers des exportations, avoir investi des sommes considérables dans les interconnexions, fait beaucoup d'efforts pour développer les marchés extérieurs, il serait étonnant qu'Hydro-Québec suive jusqu'au bout cette stratégie de repli. S'il y a un manque à gagner dans l'existence d'excédents non vendus, il y en a un aussi, tout aussi important, à abandonner des marchés extérieurs durement conquis mais très lucratifs. Comme l'indique l'appendice 2, le prix moyen obtenu sur les marchés américains de New York et de la Nouvelle-Angleterre permet à Hydro-Québec non seulement de couvrir son coût de revient total (coûts fixes et variables de production, et frais de transport) mais de faire des profits substantiels. C'est vrai tant pour l'électricité ferme (c'est-à-dire dont la livraison est garantie à long terme par contrat) que pour l'électricité excédentaire (non garantie). Cette rentabilité des exportations vers les États-Unis semble assurée jusqu'en l'an 2000, du moins à partir d'hypothèses raisonnables (appendice 2).

...OU CONSTRUCTION DE LA GRANDE (PHASE 2) ET GRANDE BALEINE?

Parce que le scénario malthusien d'une interruption de la construction de tout équipement de base entre 1985 et 1993 ne semble ni vraisemblable ni souhaitable économiquement, vu le manque à gagner croissant que l'abandon graduel des marchés d'exportation provoquerait à partir de 1990, il est utile de proposer un scénario alternatif ayant les deux caractéristiques suivantes: 1) hypothèse d'une croissance des besoins prioritaires de 2,8% par an entre 1981 et 2001, comme dans le scénario moyen d'Hydro-Québec; 2) objectif d'exportation d'électricité à un niveau permettant d'utiliser 85% de la capacité des interconnexions jusqu'en 2001 au moins[37]; les exportations annuelles seraient alors de 32 milliards de kWh à partir de 1987 et comprendraient une tranche d'électricité ferme, c'est-à-dire garantie à long terme par contrat, de l'ordre de 10 à 15 milliards de kWh.

Selon ce scénario, Hydro-Québec aurait, à partir de 1993, un déficit d'énergie grandissant et ne pourrait plus réaliser pleinement son objectif d'exportation, *à moins de commencer à mettre en service, dès 1992, de l'équipement de base additionnel.* Ce déficit atteint 33,6 milliards de kWh en 2000, en l'absence de tels investissements (tableau 3).

La Grande Rivière, phase 2. Le scénario alternatif requerrait donc, entre 1992 et 1997 inclusivement, la mise en place des six centrales prévues dans la phase 2 de La Grande Rivière, dont la puissance totale serait de 2 793 MW et dont la capacité de production énergétique s'établirait à 19,7 milliards de kWh: celle-ci suffirait à effacer la quasi-totalité du déficit énergétique entre 1992 et 1997 (20 milliards de kWh). *La date du début de l'aménagement de la phase 2 serait 1985, et non pas 1995 comme dans le scénario malthusien.*

Grande Baleine. En outre, de 1997 à 2000, le scénario alternatif exigerait une puissance additionnelle capable de produire environ 14 milliards de kWh[38]. Or, le complexe de Grande Baleine, au nord de La

37. Le taux d'utilisation de 85% est celui qui est prévu, en moyenne, par Hydro-Québec entre 1984 et 1993.

38. Déficit de 33,6 milliards de kWh en 2000 (colonne 5 du tableau 3) moins la production de La Grande (phase 2), soit 19,7 milliards, ce qui donne un déficit résiduel de 13,9 milliards de kWh en 2000.

TABLEAU 3

Capacité de production supplémentaire requise selon le scénario alternatif, 1987-2000

Années	Disponibilités d'énergie prévues selon Hydro-Québec**	Besoins prioritaires*	Objectif d'exportation	Solde d'énergie***
	(1)	(2)	(3)	(5)=1-(2+3)
		(en milliards de kWh)		
1987	165,1	116,6	31,0	+ 17,5
1992	167,4	134,9	32,0	+ 0,5
1996	167,0	150,8	32,0	- 15,8
2000	167,0	168,6	32,0	- 33,6

* Selon le plan de développement d'Hydro-Québec, 1983, dans le cas du scénario de croissance moyenne des besoins prioritaires; cette hypothèse de croissance a été reprise dans le scénario alternatif.

** Objectif d'exportation du scénario alternatif: utiliser la capacité des interconnexions à 85%.

*** Un surplus (+) signifie qu'il n'est pas nécessaire d'accroître la production par rapport aux prévisions du plan de développement (1983) d'Hydro-Québec (colonne 1); un déficit (-) mesure la capacité de production additionnelle requise.

Grande Rivière aurait une puissance d'environ 2 896 MW et une capacité de production énergétique de 15 milliards de kWh: il pourrait donc répondre aux besoins énergétiques additionnels entre 1997 et 2000. Les trois centrales de Grande Baleine devraient être mises en service entre 1997 et 2000; le début de leur construction se ferait vers 1988, soit un devancement d'environ 5 ans par rapport au scénario malthusien.

Ainsi, dans le scénario alternatif, Hydro-Québec serait amenée à mettre en chantier un imposant programme de construction d'équipement de base pendant la période 1985-2000. Au total, la puissance de base à installer serait de 5 689 MW, et la capacité de production énergétique, de 34,7 milliards de kWh, soit près de 56% de la taille du complexe de La Grande Rivière (phase 1).

BÉNÉFICES DU SCÉNARIO ALTERNATIF POUR LE QUÉBEC

Renforcement de la position financière d'Hydro-Québec. Comme l'indique l'appendice 2, les exportations sur les marchés américains sont très profitables: c'est vrai pour l'excédentaire, ça l'est encore plus pour les ventes de ferme. Les exportations contribuent donc, d'une façon substantielle, à accroître les profits d'Hydro-Québec, et, donc, à financer son service de la dette. Le scénario alternatif, en maintenant les exportations au niveau d'une forte utilisation (85%) de la capacité des interconnexions jusqu'en 2000 au moins, entraînerait une amélioration générale des indicateurs financiers de la firme.

Maintien du rôle moteur d'Hydro-Québec. Les exigences du scénario alternatif *correspondent de près à celles d'un programme axé sur la seule satisfaction de besoins prioritaires, qui croîtraient de 3,9% par an.* Selon le scénario alternatif, la production énergétique nécessaire en 2000 pour répondre à la fois aux besoins prioritaires québécois et à l'objectif d'exportation devrait être de 200,6 milliards de kWh; celle qu'exigerait la seule croissance des besoins prioritaires québécois au taux de 3,9% par an serait, cette même année, de 205,4 milliards de kWh.

Or, selon Hydro-Québec, les investissements requis, entre 1984 et 1993, dans le cas d'une progression des besoins prioritaires au taux de 3,9% sont 2,5 fois plus élevés que dans l'hypothèse d'un taux de 2,8%: 44,3 milliards de dollars par comparaison à 17,9[39]. Le scénario d'une croissance des besoins prioritaires au rythme annuel de 3,9% donne donc un ordre de grandeur des investissements nécessaires dans le scénario alternatif.

Il reste toutefois une zone d'ombre dans le scénario alternatif à cet égard: il est difficile de préciser le volume de construction de l'équipement de pointe requis; comme le signale Hydro-Québec dans son plan de développement, «si Hydro-Québec décidait de devancer des équipements de base dans le cadre de contrats de vente d'énergie à l'exportation sans garantie de puissance, ces équipements pourraient répondre à certains besoins de pointe[40]».

Mais comme il est possible de prévoir qu'une tranche d'exportations, pouvant varier entre 10 et 15 milliards de kWh, se fera, pendant la période 1984-2001, *dans le cadre de contrats comportant une garantie de puissance*, il ne faudrait pas surestimer la possibilité pour Hydro-Québec de reporter l'installation d'équipement de pointe si le scénario alternatif se réalisait.

Bref, on peut conclure que les investissements exigés par le scénario alternatif seraient au moins le double de ceux qu'implique la stratégie malthusienne d'Hydro-Québec: ils s'établiraient donc à près de 36 milliards de dollars, plutôt qu'à 17,9 milliards dans le dernier cas.

Choisir le scénario alternatif plutôt que la stratégie malthusienne permettrait à Hydro-Québec de continuer à jouer un rôle moteur dans

39. *Plan de développement d'Hydro-Québec, 1984-1986, Horizon 1993, op. cit.,* tableau 22.
40. *Idem,* p. 78.

l'économie québécoise d'ici la fin du siècle. L'aménagement de la phase 1 de La Grande Rivière a fait monter la part relative d'Hydro-Québec dans les investissements québécois à 19,2% en moyenne entre 1975 et 1982. Le développement de la phase 2 de La Grande Rivière et du complexe de Grande Baleine, de même que l'installation de l'équipement de pointe requis, permettraient probablement de maintenir cette part relative à un niveau moyen assez élevé pendant la période 1985-2000, soit peut-être entre 13% et 15%[41]. Par contre, le scénario malthusien ferait sans doute descendre cette proportion au niveau de 6% ou 7% durant à peu près une décennie (1985-1995).

LA CONFIANCE DANS L'AVENIR

Bâtir le Québec? Hydro-Québec le fait depuis 30 ans. Après avoir ouvert l'intérieur de la côte Nord au développement avec l'aménagement des sites hydrauliques de la Bersimis et de Manicouagan-Outardes, Hydro-Québec, à partir de 1971, intègre à l'économie la région de La Grande Rivière, centre géographique du territoire québécois.

Si la firme passe actuellement par une période de doute et d'inquiétude, ce n'est en grande partie que le reflet momentané de la crise économique mondiale de 1982. Il est probable que la demande d'électricité québécoise connaîtra une nouvelle croissance qui, sans atteindre, à long terme, le rythme antérieur de 6% ou 7% par an, pourrait se faire au taux de 3,5% ou 4% par an. Cette progression sera donc fort supérieure aux prévisions «moyennes» actuelles de la firme (2,8%). Les marchés américains offrent, pour leur part, des perspectives très intéressantes pour Hydro-Québec, dont le produit y est très compétitif.

Hydro-Québec possède tous les atouts pour profiter de cette relance prochaine de la demande: une très grande solidité financière, une réputation internationale excellente, une capacité de gestion qui a fait ses preuves, tout particulièrement dans la période très agitée des années 1969-1978, et un personnel de haute qualité. Hydro-Québec ne peut que se rendre compte rapidement du potentiel de ces nouveaux marchés et de la force de ses avantages comparatifs: le temps de l'incertitude cédera vite la place à celui de la confiance retrouvée en son avenir et en celui de l'économie québécoise.

D'autres régions nordiques attendent d'être intégrées économiquement au territoire québécois: le sud de la Baie James, avec le développement des sites des rivières Nottaway, Broadback et Rupert, le versant de la Baie d'Hudson en commençant par Grande Baleine — on passera alors de la taïga à la toundra... —, puis le versant plus lointain de la Baie d'Ungava. Les équipes compétentes qui ont construit le complexe de La Grande Rivière (phase 1) n'auront probablement pas à attendre 10 ans avant de se remettre à la conquête du Grand Nord québécois...

41. Pour la période 1984-1993, on peut estimer à environ 13,7% cette part relative, dans le cas du scénario alternatif, par comparaison à 6,8% dans celui du scénario malthusien. Cette estimation est basée sur des prévisions d'investissements bruts pour le Canada entre 1984 et 1993, présentées dans un rapport récent (G.-M. Garesché et D.P. Dungan, *The National and Provincial Economies through 1995*, Policy Study No. 83-8, Institute for Policy Analysis, 1983, Université de Toronto); nous avons supposé que la part relative du Québec dans le total canadien serait de 20% pendant toute la période (ce qui suppose qu'elle se rétablira et se maintiendra à ce niveau, après être tombée de 20,4% en 1979 à 17% en 1983).

APPENDICE 1
Résumé du contrat entre Hydro-Québec et CFLCo[42].

1. Hydro-Québec s'engageait à acheter la quasi-totalité des 5 225 mégawatts produits par Churchill Falls; CFLCo ne se réservait qu'une tranche de 225 mégawatts destinés à la Twin Falls Power Corporation; CFLCo pouvait aussi rappeler un autre volume de 300 mégawatts au maximum, sur préavis de trois ans. En termes d'énergie, le contrat garantissait au moins 31,5 milliards de kWh par an à Hydro-Québec pendant 65 ans.

2. Le prix de cette électricité était de 3 mills le kWh livré à la frontière, lors des 40 premières années du contrat, et de 2 mills pour les 25 années subséquentes.

3. Le contrat prévoyait un agenda de mise en service des 11 groupes de production de la centrale entre 1972 et 1976, les livraisons devant atteindre 31,5 milliards de kWh en fin de période au plus tard.

4. Hydro-Québec prenait des engagements financiers importants: paiement de toute l'énergie qui lui était garantie par le contrat, qu'elle lui fût livrée ou non; prise en charge de la construction de la centrale en cas d'empêchement de la CFLCo; financement de l'excédent éventuel des coûts d'aménagement par rapport aux prévisions; avancement des sommes requises pour le service de la dette et des fonds de roulement de la CFLCo, en cas de besoin; prise en charge de la partie du fardeau des intérêts correspondant à la différence entre le taux effectif des emprunts et les taux théoriques de 5,5% pour les obligations de première hypothèque et de 6% pour les autres obligations; prise en charge de la moitié des pertes de change subies par la CFLCo sur ses paiements d'intérêt et de principal en dollars américains.

APPENDICE 2
Rentabilité des exportations

Pendant longtemps, Hydro-Québec n'a exporté que de l'électricité excédentaire, c'est-à-dire dont la livraison n'est pas garantie. Aussi longtemps que le prix de vente de l'électricité excédentaire sur les marchés extérieurs est supérieur à la somme des coûts variables de production et des frais de transport, Hydro-Québec trouve profitable d'exporter. Or,

Hydro-Québec dispose encore d'un potentiel hydroélectrique qui lui permettra de franchir, et largement, le cap de l'an 2000.

42. Pour une présentation plus détaillée, voir Jules Brière, «Le contrat d'énergie: la dimension juridique», *Forces*, numéro 57-58, 1981-1982.

l'écart entre les prix obtenus et ces coûts a été tel en 1982 que la firme a même couvert ses coûts fixes de production: cette année-là, le prix moyen des exportations de la firme a été de 26,5 mills le kWh, alors que le coût de revient total (coûts fixes et variables de production plus frais de transport) de l'électricité provenant de La Grande Rivière et livrée à l'extérieur peut être estimé à environ 26 mills. En 1982, les exportations vers les États-Unis ont été particulièrement profitables puisqu'elles se sont vendues au prix moyen de 34,5 mills; d'où provient cette forte marge? Du fait que l'électricité excédentaire exportée par Hydro-Québec remplace une partie de la production de centrales américaines fonctionnant au mazout, dont les coûts d'opération sont très élevés.

En 1990 et 2000, le prix de vente de l'électricité dite excédentaire sur les marchés américains d'Hydro-Québec serait encore plus intéressant. Selon une hypothèse conservatrice, ce prix s'établirait à 36 mills le kWh en 1990 et à 43 mills en 2000[43]. Jusqu'en 1990 au moins, l'électricité excédentaire exportée proviendrait théoriquement de La Grande Rivière (phase 1), et coûterait donc environ 26 mills le kWh. Pendant la décennie suivante, si l'électricité excédentaire exportée devait être fournie par les éventuels complexes de La Grande Rivière (phase 2) ou de La Grande Baleine — dans l'hypothèse où ils seraient mis en service entre 1990 et 2000 —, le coût de revient total de cette électricité, y compris les frais de transport, s'établirait à 34 mills[44] le kWh, ce qui laisse encore une bonne marge de profit.

Dans les prochaines années, il est prévisible qu'une proportion importante des exportations d'Hydro-Québec sera constituée d'électricité ferme, c'est-à-dire dont la livraison sera garantie par contrat pour une période d'une vingtaine d'années. Ces ventes pourraient s'établir à environ 10 à 15 milliards de kWh par an. Cette électricité remplacerait l'énergie que produiraient soit des centrales au mazout existantes, soit de futures centrales au charbon qui devraient être construites en Nouvelle-Angleterre ou dans l'État de New York en l'absence de tel contrat d'énergie. Dans la première hypothèse, les coûts totaux de revient pour Hydro-Québec en 1990 et 2000 correspondent à ceux décrits plus haut dans le cas de l'électricité excédentaire exportée; mais le prix de vente obtenu serait plus élevé, en contrepartie de la garantie de livraison accordée à long terme. Il pourrait même s'établir au niveau des coûts d'opération des centrales au mazout, soit 69 mills le kWh en 1990 et 83 mills en 2000; la marge de profit serait donc très grande: de 43 mills en 1990, et de 49 mills en 2000[45].

Dans la seconde hypothèse, qui ne s'applique qu'à la décennie 1990-2000 puisqu'il faut supposer un délai assez long avant la mise en place hypothétique des centrales au charbon (dont la construction serait annulée par le contrat d'énergie), le prix de vente maximal serait déterminé par le coût total de revient de ces dernières, établi à 50 mills le kWh en 2000. La marge de profit d'Hydro-Québec, pour un prix de vente de 50 mills, serait d'environ 16 mills[46] à l'horizon 2000. On constate donc que, pour la firme, il est beaucoup plus lucratif d'exporter de l'électricité ferme destinée à remplacer l'énergie produite par des centrales au mazout existantes, que par d'éventuelles centrales au charbon, bien que dans les deux cas la marge de profit soit substantielle.

43. Source: *Potential Benefits and Costs of Canadian Electricity Exports*, Canadian Energy Research Institute, Calgary, décembre 1982, 2 vol.; le prix est exprimé en dollars canadiens de 1980; il s'agit d'une hypothèse très conservatrice de la part des auteurs, car les coûts d'opération d'une centrale américaine au mazout, qui déterminent le prix de vente maximal, sont estimés à 69 mills en 1990 et à 83 mills en 2000. Il est donc fort possible qu'Hydro-Québec obtienne un prix supérieur à 36 et 43 mills en 1990 et 2000.

44. Dans le scénario de base de l'étude ci-haut citée, avec un taux d'actualisation de 7%; avec un taux de 10%, le coût de revient serait de 44 mills le kWh (en dollars canadiens de 1980); même dans ce dernier cas, les coûts fixes pourraient être couverts en quasi-totalité.

45. Ou de 39 mills si on suppose un taux d'actualisation de 10%.

46. Ou de 6 mills avec un taux d'actualisation de 10%.

LA NATIONALISATION:
UN PRODIGIEUX BOND EN AVANT

Pour plusieurs le 1er mai 1963 marque la fin de «l'opération nationalisation». Aux 9 centrales de la société d'État, la nationalisation en ajoute 41 autres. Faisant partie de ce nouvel héritage, les centrales Shawinigan 2 et 3 (ci-haut), la Trenche (à gauche) et Rapide-Blanc (à droite).

La centrale Beaumont (ci-dessus) est la dernière des neuf centrales que Shawinigan Water and Power Company a aménagées sur le Saint-Maurice. La Southern Canada Power Company avait aménagé la centrale Drummondville (ci-contre), à quelques kilomètres en aval de la centrale Chutes-Hemmings.

Toujours sur le Saint-Maurice, les centrales Grand-Mère (ci-haut) et La Gabelle (à gauche). Enfin, la centrale High Falls (à droite) située sur la Blanche, qui avec ses 340 kW était la plus petite centrale hydroélectrique d'Hydro-Québec.

Une technologie maîtrisée

J.-Jacques Archambault,
ingénieur

INTRODUCTION

Une tradition d'innovations déjà impressionnantes s'inscrit dans les 40 ans d'existence d'Hydro-Québec. L'exploitation d'un immense potentiel d'énergie hydroélectrique disséminé dans tout le Québec, donc aux sources souvent très éloignées des centres de consommation, oblige à des prouesses technologiques et à des réalisations parfois colossales. On a vu par exemple la construction de barrages immenses aux conceptions originales, l'implantation de lignes électriques aux tensions les plus élevées au monde, l'élaboration d'un réseau électrique aux automatismes d'avant-garde. Bref, réalisations remarquables, défis technologiques fièrement relevés.

Lors de la prise de possession, en 1944, de Montreal Light, Heat and Power Consolidated, de Beauharnois Light, Heat and Power Company et de Montreal Island Company, la nouvelle société d'État dispose de 616 mégawatts de puissance électrique répartie en quatre centrales: Chambly, Rivière-des-Prairies, Les Cèdres et Beauharnois, phase I. À elle seule, cette dernière centrale, avec 401 MW, représente les deux tiers de la puissance totale.

Selon les prévisions, la demande aura doublé au terme de la décennie. Dès ses débuts, Hydro-Québec doit donc entreprendre la planification et la réalisation de grands ouvrages. Ce qu'elle accomplit, bien sûr, avec une participation très importante de firmes d'ingénierie et de construction externes, en raison de la très jeune expérience de son personnel.

BEAUHARNOIS

L'année 1948 marque la mise en chantier de Beauharnois, phase II. Les travaux de construction se poursuivent jusqu'au début de 1953 avec l'installation de 12 groupes de 40 MW, lesquels viennent s'ajouter aux 14 groupes de la phase I pour donner un total de 1021 MW. Une troisième phase devra compléter la mise en valeur du potentiel hydroélectrique du Saint-Laurent à Beauharnois. Un débit moyen de 6 800 mètres cubes et une hauteur de chute moyenne nette de 24 mètres permettent le développement d'environ 1 500 MW.

Ce n'est qu'en 1958 que débutent les travaux de Beauharnois, phase III. Ils se terminent en avril 1961 avec la mise en service du dernier des 10 groupes de 55,3 MW, ce qui porte la puissance totale installée à 1 574 MW répartis en 36 groupes alternateurs avec une production annuelle moyenne de 11,1 TWh d'énergie électrique. Beauharnois devient alors la plus puissante centrale hydroélectrique au monde à cette époque. Elle restera en fait en tête de liste au Canada jusqu'à la mise en exploitation de la centrale de Churchill Falls en 1969-1970, elle-même dépassée en 1980-1982 par LG-2, du complexe de la Baie James.

BERSIMIS

La décision d'aménager le potentiel hydroélectrique de la Bersimis remonte à l'année 1952. Au moins trois bonnes raisons motivent cette décision et sa mise en chantier même avant celle de Beauharnois III:

- Accroissement rapide de la demande d'énergie électrique, nécessitant un apport susceptible de quasi doubler la production d'énergie au cours des huit prochaines années.
- Impossibilité d'entreprendre Beauharnois III avant de connaître les plans définitifs de la Voie maritime du Saint-Laurent, encore au stade des négociations.

● Importance économique de doter le réseau d'Hydro-Québec d'un aménagement hydroélectrique à retenue d'eau, par opposition aux centrales au fil de l'eau, telle la centrale de Beauharnois. Ceci afin d'éviter que l'eau ne s'écoule en pure perte, c'est-à-dire sans faire tourner les turbines, mais plutôt soit «emmagasinée» pour utilisation ultérieure selon la demande. Emmagasiner, si l'on peut dire, de l'énergie et rentabiliser au mieux un aménagement hydroélectrique. La dénivellation de la Bersimis se prête à ce genre d'ouvrage.

On décide de construire un double aménagement d'une puissance totale de 1 567 MW, soit 912 MW à Bersimis I et 655 MW à Bersimis II, située à une trentaine de kilomètres en aval. Les travaux débutent en 1953 et, dès 1957, les huit groupes de 114 MW à Bersimis I tournent et produisent sous une hauteur de chute de 267 mètres. Deux lignes double-circuit de 315 kV acheminent les 6 TWh d'énergie vers les centres de Québec et de Montréal. Entre-temps, la construction de Bersimis II avance, et quatre ans plus tard, en 1960, les cinq groupes de 131 MW, sous une hauteur de chute de 118 mètres, ajoutent leur production de 4,6 TWh à celle de Bersimis I. Une troisième ligne à 315 kV achemine une partie de cette énergie vers la côte Nord du Saint-Laurent.

L'ampleur de ces aménagements situés en pleine nature vierge, éloignés de quelque 400 kilomètres des principaux centres de consommation et menés à terme en un temps remarquablement court, suscite un très vif intérêt dans les milieux spécialisés et contribue à étendre la réputation d'Hydro-Québec dans le monde. On vient de l'étranger s'enquérir des méthodes de construction utilisées. En sept années, il fallut défricher, construire plus de 400 kilomètres de chemins, élever six barrages, construire une ville pour loger le personnel, percer un tunnel de 82 mètres et une caverne de 172 mètres pour y aménager à 100 mètres sous terre une centrale de 912 MW, implanter une deuxième centrale, celle-ci extérieure et de puissance moindre mais qui n'en constitue pas moins une réalisation respectable avec ses 650 MW. Enfin, concevoir et construire des lignes à 315 kV parmi les premières en Amérique à une tension aussi élevée, ainsi que les postes et appareillages requis. Travaux d'envergure qui ont largement contribué à faire connaître Hydro-Québec dans le monde entier et ont fait naître sa réputation d'entreprise à l'avant-garde des méthodes d'aménagements hydroélectriques.

MANICOUAGAN-OUTARDES

Vers la fin des années 50, un autre projet encore plus considérable que celui de la Bersimis se dessinait à l'horizon. Des études préliminaires d'hydrologie et de topographie des rivières Manicouagan et aux Outardes et de leurs bassins respectifs situés à quelque 600 kilomètres au nord-est de Montréal révélaient un potentiel hydroélectrique de l'ordre de 5 000 MW.

La décision d'aménager ces deux rivières fournit aux ingénieurs d'Hydro-Québec l'occasion de se lancer dans une entreprise colossale. Les travaux débutent en 1959, et engendrent, tout au long des années 60, des réalisations techniques flamboyantes qui retiennent l'attention du public. Les «premières» canadiennes et même mondiales se succèdent et mènent la réputation des ingénieurs d'Hydro-Québec vers une consécration des plus enviables à l'échelle internationale. Manic accueille des célébrités tant de la science et de la technologie que de la politique et de la presse.

Le choix entre plusieurs solutions se porte sur des installations totalisant 5 500 MW, dont 3 675 MW répartis en quatre centrales sur la Manicouagan et 1 840 MW répartis en trois centrales sur la rivière aux Outardes. Plus précisément, on a:

1 292 MW à Manicouagan 5 avec huit groupes de 161,5 MW
1 183 MW à Manicouagan 3 avec six groupes de 197,2 MW
1 015 MW à Manicouagan 2 avec huit groupes de 126,9 MW
  185 MW à Manicouagan 1
———
3 675

  756 MW à Outardes 3 avec quatre groupes de 189 MW
  632 MW à Outardes 4 avec quatre groupes de 158 MW
  454 MW à Outardes 2
———
1 842

Cette puissance installée ajoute au réseau d'Hydro-Québec un apport d'énergie de 30 milliards de kWh annuellement (30 TWh). Production qui représente encore aujourd'hui plus du tiers de l'énergie tirée de toutes les centrales d'Hydro-Québec.

Commencés en 1959, les travaux du complexe Manic-Outardes prennent fin en 1978 avec Outardes 2, abstraction faite de l'aménagement d'une puissance additionnelle de 1 000 MW à Manic 5, encore en cours de réalisation. L'ensemble des aménagements nécessite des ouvrages gigantesques. Entre autres les barrages à Manic 5 et à Manic 3. À Manic 5, vu la quantité considérable de matériaux meubles qu'il aurait fallu transporter pour réaliser un ouvrage en enrochement, on a trouvé plus économique, plus rapide et plus facile de construire en béton le barrage Daniel-Johnson, qui s'avère être un géant parmi les barrages. En fait, ses 13 voûtes à arches et contreforts multiples en font le plus considérable au monde, avec ses 215 mètres de hauteur et ses 1 280 mètres de longueur. L'édifice de Place Ville-Marie, à Montréal, entrerait confortablement dans son arche centrale. Deux millions de mètres cubes de béton façonnent cette réalisation spectaculaire, endiguant 142 milliards de mètres cubes d'eau dans un réservoir d'une superficie de 2 070 kilomètres carrés. Ce réservoir permet de régulariser l'alimentation en eau des quatre centrales de la Manicouagan sur 360 mètres de hauteur totale de chute. Sa superficie en fait le troisième plus grand au monde, après Aldeaville en Espagne et Kariba en Afrique.

Quant à l'aménagement de Manic 3, il a ceci de particulier qu'un mur d'étanchéité de 130 mètres de profondeur construit sous le barrage en fait le plus profond du genre au monde. C'est un double mur de béton conçu par les ingénieurs d'Hydro-Québec pour empêcher l'eau de s'infiltrer dans le sol alluvionnaire et de provoquer l'écroulement de l'ouvrage. Et puis, Hydro-Québec n'en est plus à une centrale près construite sous terre. Ainsi, après Bersimis I et Outardes 3, c'est au tour de Manic 3 de se cacher à l'intérieur du bouclier canadien. Même les transformateurs élévateurs se cachent sous terre en aval de la centrale.

À propos de barrages, il convient aussi de signaler celui de Manic 2, qui fut l'objet d'une première mondiale par sa conception; barrage-poids à joints évidés le plus considérable de ce genre au monde. C'est, bien sûr, un ouvrage en béton, mais il a ceci de particulier: dans un but d'économie de matériaux, on l'a constitué d'une série d'éléments verticaux concaves avec surface avale creuse. Ces éléments (plus d'une centaine) se trouvent réunis par des joints plastiques vinyliques. Là encore le béton s'avérait plus économique que l'enrochement, tout comme à Manic 5, même si, à Manic 2, le barrage est de dimensions beaucoup plus modestes, avec seulement 103 mètres de hauteur et 690 mètres de longueur. L'ensemble de tous ces ouvrages se distingue par plusieurs autres caractéristiques exceptionnelles. Par exemple, Hydro-Québec est la première à utiliser des vannes cylindriques pour de grosses turbines fonctionnant sous une haute chute d'eau (144 mètres) dans la centrale souterraine Outardes 3.

LA BAIE JAMES

Puis vint l'épopée de la Baie James. Amorcée au début des années 70, une première phase de quelque 10 000 MW arrive à terme vers la fin de 1983. Cet aménagement initial comprend trois centrales: LG-2, LG-3 et LG-4, toutes situées sur la rivière La Grande, qui se jette dans la Baie James au 53e parallèle. Rivière longue de 800 kilomètres avec un débit de 1 700 mètres cubes/seconde. Son bassin couvre un territoire de 51 000 kilomètres carrés, soit une superficie excédant celle de la Suisse.

Quelques caractéristiques montrent l'ampleur de l'aménagement. Il fallut ériger 206 digues et barrages, tous en enrochement, et déplacer, pour ce faire, un volume de matériaux meubles suffisant pour construire 80 fois la grande pyramide de Chéops.

Les puissances installées respectives, sinon les plus considérables au monde, sont quand même impressionnantes. On trouve 16 groupes de 333 MW à LG-2, 12 groupes de 192 MW à LG-3 et 9 groupes de 293 MW à LG-4, pour un grand total de 10 269 MW.

RÉSEAU DE TRANSPORT 735 kV

L'éloignement relatif des centrales des rivières aux Outardes et Manicouagan, à quelque 700 kilomètres au nord du principal centre de consommation, Montréal, pose de sérieux problèmes au transport de l'énergie électrique en provenance de ces centrales. Éloignement qui sera de plus en plus considérable pour les aménagements subséquents là où se trouve le potentiel hydroélectrique toujours plus au nord des centres.

Au nombre des problèmes se trouvent ceux associés à la stabilité du réseau, à la régulation de tension, à l'effet couronne (cause de perturbations radiophoniques) et bien sûr à toutes considérations économiques. Ils sont au premier plan des préoccupations de l'ingénieur dans sa tâche de planificateur et de concepteur du transport d'énergie électrique sur de longues distances.

Les solutions propres à résoudre ces problèmes impliquent essentiellement le choix du palier de tension, la détermination des caractéristiques des lignes électriques et de réseau appropriées et des méthodes les plus aptes à minimiser les difficultés d'exploitation. Les études de transport pour évacuer la production d'énergie électrique de Manic-Outardes et de Churchill Falls vers Québec et Montréal débutent en 1958. Au départ, trois paliers de tension font l'objet d'évaluations comparatives: le 315 kV, déjà utilisé à Hydro-Québec; le 525 kV, en cours d'études ou de réalisation dans plusieurs pays, y compris le Canada; et une tension plus élevée et arbitrairement fixée à 650 kV, mais qui devint par la suite 700/735 par souci de se conformer aux recommandations probables de la Commission électrotechnique internationale (CEI) à l'époque. Le palier 315 kV s'avère bientôt impraticable, vu la vingtaine de circuits parallèles qu'aurait nécessité le transport de 5 000 MW à ce niveau de tension sur les distances envisagées. Des points de vue économique et écologique, cette solution devenait inadmissible.

Le choix se limite dès lors à ces deux seuls paliers: 525 kV et 735 kV. Les études montrent que l'un ou l'autre peuvent satisfaire aux exigences du réseau, avec trois circuits. Cependant, pour ce faire, le 525 kV nécessite l'adjonction de 50% de compensation série sans pour autant éliminer complètement la compensation shunt. Une telle contrainte limite la flexi-

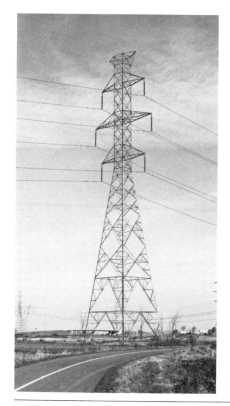  

De gauche à droite: pylône rigide à deux ternes (1955), pylône rigide à un terne (1965), pylône haubané en V (1978).

bilité de ce palier de tension à plus ou moins long terme dans la perspective de son expansion et ajoute à l'exploitation un élément de vulnérabilité. La comparaison économique entre les deux paliers favorise légèrement le 525 kV à court terme. Cependant, le 735 kV sans compensation série se prête beaucoup plus aisément à toute expansion ou adjonction future, admet une protection plus simple et une exploitation plus souple, est donc techniquement supérieur au 525 kV et, à moyen terme, vraisemblablement plus économique. Il convient d'ajouter que les principaux constructeurs de matériel électrique donnent l'assurance de pouvoir construire et livrer l'appareillage 735 kV pour l'automne 1965.

Après étude de tous les aspects et implications sur l'ensemble du réseau, fiabilité et performance, après discussions et hésitations, le choix se porte finalement sur l'option 735 kV, décision prise au mois d'août 1962. Tout reste à faire pour réaliser cet ouvrage, et pourtant, à peine trois ans plus tard, au mois de septembre 1965, un premier tronçon 735 kV est mis sous tension entre Manicouagan 2 et le poste de Lévis près de Québec, soit une distance de 400 kilomètres. Hydro-Québec venait d'accomplir une sensationnelle «première mondiale». Modeste longueur comparée aux 9 000 kilomètres de lignes à 735 kV présentement en exploitation et qui acheminent l'énergie des complexes Manic-Outardes, Churchill Falls et Baie James, au total plus de 20 000 MW et une production annuelle excédant 100 TWh.

Au cours des ans et de l'expansion du réseau, la conception des lignes 735 kV et de plusieurs autres éléments du réseau dans son ensemble connut une constante évolution. Par exemple, le souci d'optimalisation entraîne une réduction graduelle des niveaux d'isolement, tel l'écrasement des conducteurs de lignes entre phases, ce qui contribue également à l'allègement des pylônes. L'importance d'une adaptation aux conditions de l'environnement ainsi que des considérations économiques conduisent au développement et à l'utilisation de divers types de pylônes, tantôt structures rigides, tantôt structures haubanées, selon le caractère

130

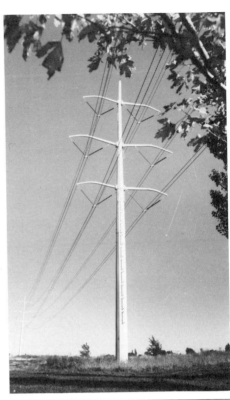

À gauche, pylône tubulaire à deux ternes (1980), et à droite, pylône à chaînette (1980).

climatique, topographique ou social des régions traversées (inhabitées, rurales ou urbaines). On réalise notamment un pylône 735 kV du type dit «chaînette», inspiré d'un prototype français à 220 kV. Ce pylône est remarquablement léger. Il ne pèse que 23 tonnes/km comparé à 71 tonnes/km pour les pylônes rigides de la première ligne 735 kV. Il s'avère idéal pour des sections de lignes traversant des régions exemptes de grands vents et de verglas. C'est un pylône haubané, mais dont les trois phases de conducteurs sont attachées à un câble qui relie deux mâts haubanés, au lieu d'un pont rigide selon la pratique courante.

Par ailleurs, l'évolution du réseau 735 kV comporte bien sûr un certain nombre d'éléments, de méthodes ou d'applications en accord avec le progrès technologique du moment ou même à caractère innovateur. Ainsi, les ingénieurs d'Hydro-Québec élaborent la compensation dite «shunt dynamique», constituée d'inductances shunt commutables aux extrémités des sections de ligne et de compensateurs statiques eux-mêmes constitués d'inductances, de condensateurs et de thyristors de commande. Les lignes électriques à courant alternatif agissent à l'instar des condensateurs pour produire une puissance dite «réactive» plus ou moins importante selon la longueur de la ligne et la tension d'exploitation. Lorsque aux heures de faible demande d'électricité la ligne transporte peu, cette puissance réactive tend à devenir excessive; le contraire se produit aux heures de forte demande, la ligne subissant alors une carence de puissance réactive. Ce phénomène rend difficile, voire impossible, le maintien des tensions d'exploitation à l'intérieur de limites raisonnables, et, notamment, des surtensions de manoeuvre. Une certaine forme de compensation (absorption ou apport de puissance réactive selon le cas) s'avère donc essentielle pour les longues lignes à très haute tension (THT). Cependant, la compensation shunt dynamique telle que la conçoivent et l'appliquent les ingénieurs d'Hydro-Québec se distingue par son efficacité, sa souplesse et sa rapidité de réaction en comparaison avec les autres formes de compensation.

131

La mise au point de cette compensation a largement contribué à abaisser le niveau maximal de surtensions de manoeuvre, soit de 2,1 p.u. qu'il était à 1,9 p.u. (p.u. = nombre de fois la tension normale). Ceci permet, en conséquence, d'abaisser les niveaux de tenues diélectriques tant des lignes que du matériel électrique en général (transformateurs, disjoncteurs, sectionneurs, etc.) et de réaliser des économies importantes.

COMPENSATEURS STATIQUES

Le compensateur statique tend depuis quelques années à déplacer le traditionnel compensateur synchrone dans les réseaux d'énergie électriques. En cela, Hydro-Québec peut se prévaloir, à juste titre, du mérite d'avoir été une des premières sociétés, sinon la toute première, à s'intéresser sérieusement à la mise au point et à l'application des compensateurs statiques pour la régulation des tensions dans les grands réseaux électriques. Dès 1977, de concert avec certains grands manufacturiers, les ingénieurs de la Planification et les chercheurs de l'Institut de recherche en électricité du Québec (IREQ) s'attaquent au développement de cet appareil avec l'idée qu'il pourrait rivaliser avantageusement avec le compensateur synchrone. Jusqu'alors, les caractéristiques du compensateur statique en limitaient l'utilisation essentiellement aux circuits d'alimentation électrique des hauts fourneaux des aciéries.

Il s'agit donc d'en modifier la conception pour l'adapter aux exigences et comportement (fluctuations de tension) du réseau. Trois types principaux font l'objet d'études approfondies, à savoir: l'inductance saturable, l'inductance à commande à thyristor et le condensateur à commutation à thyristor.

Parallèlement aux études théoriques et essais de modèles, notamment sur le simulateur de réseau de l'IREQ, Hydro-Québec installe deux prototypes, respectivement sur le réseau 230 kV en 1978 et sur le réseau 735 kV en 1980, strictement à des fins expérimentales. Ce programme de recherche et de développement débouche en fin de compte sur des résultats très positifs avec des appareils jugés supérieurs au compensateur synchrone. En effet, ils réagissent plus rapidement aux commandes et fluctuations (délai de réaction très court: de deux à six périodes au lieu de la quinzaine de périodes du compensateur synchrone), ils sont plus efficaces à maintenir les surtensions temporaires en deçà des limites raisonnables, ils sont moins chers par unité de puissance ($/KVA). Enfin, ils sont exempts de pièces tournantes, d'où entretien simplifié et fiabilité plus grande, du moins en principe. Autant de raisons qui ont amené la décision d'en généraliser désormais l'utilisation dans le réseau très haute tension d'Hydro-Québec. À noter que les trois types susmentionnés offrent à peu près les mêmes avantages. Le choix dépend largement des caractéristiques du réseau. Cette expérience hydroquébécoise apporte une contribution intéressante à la solution toujours difficile des problèmes de compensation de puissance réactive, c'est-à-dire, en définitive, des problèmes de régulation de tension et de stabilité de réseau.

STABILITÉ DE RÉSEAU

Le problème de la stabilité de réseau se trouve toujours au premier plan des préoccupations de l'ingénieur pour toute expansion du réseau 735 kV, d'où le fait qu'un choix judicieux des critères de conception s'impose. Le principal critère veut qu'en dépit d'un certain défaut soigneusement défini le réseau demeure stable, c'est-à-dire qu'advenant une perturbation tel un court-circuit tous les groupes alternateurs doivent conserver

Le mur d'étanchéité de Manic 3, le plus profond du genre au monde.

leur synchronisme ou le retrouver après quelques oscillations, sinon la protection coupe le réseau de ses sources d'alimentation. Bref, le réseau «décroche» et c'est la grande noirceur sur tout le Québec! Le critère de stabilité propre au réseau 735 kV se résume comme suit: «Le réseau doit rétablir son équilibre synchrone à la suite d'un défaut phase-terre sur un des circuits 735 kV avec déclenchement triphasé en moins de 6 périodes non suivi de réenclenchement. Le défaut se produit dans l'hypothèse d'une absence de deux appareils de compensation.»

La stabilité dépend également de plusieurs autres facteurs. Certains, notamment le système d'excitation des alternateurs avec ses composants, jouent un rôle primordial dans le maintien de la stabilité. Ainsi, vers 1967-1968 les ingénieurs d'Hydro-Québec, avec la participation d'un des principaux fabricants de matériel électrique, élaborèrent un circuit dit «stabilisateur» devant être incorporé dans le système d'excitation et lui permettre de réagir à l'instant et dans le sens le plus propice à fournir aux bornes de l'alternateur la tension qui aidera au mieux à maintenir la stabilité du réseau.

Techniquement, l'action du circuit stabilisateur est fonction de l'intégrale de la puissance accélératrice de l'alternateur, c'est-à-dire proportionnelle à l'écart de vitesse synchrone du rotor lors d'une perturbation ou d'un changement brusque de régime.

Ce type de stabilisateur s'avère particulièrement efficace pour amortir les oscillations de vitesse synchrone du rotor lors d'une perturbation,

Si efficace qu'il permit d'éviter une forte et onéreuse compensation série sur les trois circuits 735 entre la centrale de Churchill Falls et Manicouagan.

CARACTÉRISTIQUES ÉLECTRIQUES DES LIGNES 735 kV

La spécification des caractéristiques électriques des lignes doit obéir aux contraintes qu'imposent l'environnement, les niveaux de tension et de surtension, les tenues diélectriques et tous autres phénomènes inhérents à l'exploitation, tels, notamment, les pertes résistives et l'effet couronne.

La détermination des caractéristiques des lignes 735 kV repose sur l'étude de tous ces éléments de contrainte et sur de nombreux essais en laboratoire. Au fil des ans et des étapes d'expansion du réseau, des programmes d'optimalisation ont bien sûr apporté certaines modifications à la conception originale de sorte que les caractéristiques des dernières lignes 735 kV diffèrent un peu de celles des premières. Par exemple, et comme il a été dit plus haut, le fait d'avoir réussi à abaisser le niveau des surtensions de manoeuvre a permis d'abaisser le niveau de tenue diélectrique des lignes, c'est-à-dire de diminuer l'écartement des phases de conducteurs tout en tenant compte des autres facteurs et phénomènes indissociables et de réaliser ainsi un allègement des pylônes et des économies substantielles.

L'intensité du champ électrique, les pertes résistives, les pertes par effet couronne, les perturbations radiophoniques et le niveau de bruit sont autant de facteurs ou phénomènes prépondérants dans la détermination à la fois des écartements des conducteurs, de leur diamètre et de leur nombre par faisceau, pour conduire en définitive à la spécification des caractéristiques électriques générales des lignes. Les plus récentes lignes 735 kV à pylônes haubanés en V présentent les caractéristiques suivantes:

- Conducteurs ACSR 48/7
  diamètre: 35 mm
  sections: 686,50 mm² d'aluminium et 60,60 d'acier
- Écartements
  entre phases: 12,80 m
  phase-masse: 5,20 m
- Dégagement au sol
  maximum: 17,40 m (au-dessus des routes)
  minimum: 12,20 m (en forêt)
- Isolateurs: chaînes doubles de 33 éléments de 146 mm en porcelaine ou 28 éléments de 171 mm en verre trempé.
- Impédance de la ligne: .01125 + j.3412 ohms/km
- Susceptance de la ligne: j 4.7278 micro mhos/km
- Impédance caractéristique: 268,6 ohms

Associé aux conducteurs en faisceaux des lignes électriques à très haute tension (THT) se trouve un élément qui a fait l'objet d'une recherche très poussée de la part des ingénieurs d'Hydro-Québec. Ce sont les entretoises, ces pièces de quincaillerie qui, mine de rien, se rendent indispensables pour tenir en place les conducteurs d'un faisceau. Ainsi, tout au long des lignes à 735 kV, disposées à environ tous les 400 mètres, elles maintiennent la séparation de 450 mm entre chacun des quatre conducteurs du faisceau et doivent pouvoir en amortir toute oscillation intempestive. Si elles sont mal conçues, elles abîment les conducteurs à la longue et peuvent même contribuer à l'amorce du phénomène de galopage sous l'effet de certaines conditions de vent ou de givre. Hydro-Québec, insatisfaite du comportement des entretoises en provenance de divers fournisseurs, décide de mettre au point une conception de son cru. Résultat: une entretoise entièrement satisfaisante, brevetée et même propre à la commercialisation.

CONCLUSION

On a voulu donner un survol de quelques réalisations technologiques d'Hydro-Québec depuis sa formation en 1944. Certaines sont parmi les plus importantes, mais combien d'autres mériteraient d'être signalées.

En marge des réalisations proprement dites, on pourrait ajouter les nombreux projets soumis à des études et à des recherches extrêmement poussées. Par exemple, au nombre des solutions envisagées pour le transport de l'énergie électrique en provenance de la Baie James, se trouvent celle des lignes à courant alternatif à l'ultra haute tension de 1 200 kV et celle de lignes à courant continu aux tensions de 1 600 kV. Ces études exigèrent l'apport de moyens scientifiques et technologiques situés à la fine pointe des connaissances autant dans les domaines spécifiques aux lignes électriques que dans les domaines connexes.

Ainsi, au fur et à mesure de l'expansion du réseau d'Hydro-Québec, progressait la maîtrise de son personnel dans tous les secteurs touchant à l'aménagement, à la construction, à l'exploitation et à l'administration d'un grand réseau, un des plus grands au monde, et elle projetait l'image d'une entreprise remarquablement dynamique. Chantiers gigantesques, réalisations étonnantes: Beauharnois, Bersimis, Manicouagan-Outardes et lignes à très haute tension jalonnent le chemin parcouru depuis 1944. Si le passé est garant de l'avenir, Hydro-Québec continuera dans la même veine et ne saura jamais s'endormir sur ses lauriers.

«Patses-chewan» — la passe étroite où les eaux dévalent — était son nom du temps des premiers explorateurs. La hauteur de la chute Churchill est de 75 mètres. Sur quelque 30 kilomètres de distance la dénivellation du fleuve Churchill atteint 320 mètres. C'est sur ce site extraordinaire qu'allait surgir l'un des plus remarquables aménagements hydroélectriques au monde.

Des travailleurs veillent à l'assemblage d'une bâche spirale dans la centrale de Churchill Falls (photo ci-haut). Le campement principal du chantier de Churchill Falls, au Labrador.

Hydro-Québec et les marchés financiers

Denis Chaput et André Poirier,
professeurs,
École des Hautes Études commerciales

Non, il n'y a pas eu nationalisation de l'électricité en 1963. Cette légende du folklore québécois a la vie dure mais elle n'a pas droit de cité dans certains bureaux d'Hydro-Québec. Il est possible de l'évoquer sans soulever de vagues en présence de plusieurs membres de l'équipe de financement. Mais pas devant Georges Lafond qui, maintenant responsable du marketing, est loin d'avoir oublié l'aventure exaltante qu'il a vécue pendant plus de 15 ans à la direction financière de l'entreprise. Une nationalisation, ce n'est jamais quelque chose de très élégant; l'air ambiant retient toujours l'odeur de soufre de l'expropriation. Une odeur que les marchés financiers n'aiment pas beaucoup.

Moins de deux ans avant ces événements de 1963, que tant de Québécois considèrent un peu comme leur bar mitzvah économique, British Columbia Hydro and Power Authority s'était fermé le marché financier américain en expropriant des sociétés de production d'électricité privées au coût de procédures juridiques qui s'était terminées devant la Cour suprême. Hydro-Québec était elle-même née de l'expropriation de Montreal Light Heat & Power Consolidated en 1944. Les contestations avaient été vives et les règlements financiers n'avaient été effectués qu'en 1947, donnant lieu au premier emprunt majeur d'Hydro-Québec: 112,5 millions de dollars à 2% d'intérêt, une somme qu'il avait fallu recueillir par l'intermédiaire des banques canadiennes.

The starting years were simple
And government lent a hand
By keeping free of politics
Our Life was rather grand

We built some minor projects then
While rates were trending flat
Beauharnois & the Bersimis
Today they look old hat

Edmond-A. Lemieux, venu d'Ottawa et qui rédigeait ses poèmes dans la langue de Shakespeare, ne se serait pas senti à l'aise avec ses amis de la rue Saint-Jacques et ceux de New York, M. Edward Townsend, de First Boston, ou les dirigeants des compagnies d'assurances Prudential et Metropolitan, par exemple, si Hydro-Québec avait choisi la voie autoritaire. Il n'était pas seul; le président Jean-Claude Lessard n'avait pas le goût de ce genre d'aventure, pas plus que Gustave Fontaine, le trésorier, et John Field, le trésorier adjoint, qui, tous deux à l'emploi de la Société depuis sa création, allaient quelques années plus tard prendre leur retraite après plus d'un demi-siècle de service. Et du côté de Québec, l'ardeur des Michel Bélanger et André Marier, du ministère des Richesses naturelles, était encadrée par les Jean Lesage, Louis-Philippe Pigeon et Douglas Fullerton, dans un groupe de travail qui comptait aussi Claude Ducharme, avocat de Montréal, Lucien Bélair, comptable de la firme Samson, Bélair et Associés et Roland Giroux, alors associé à la maison de courtage L.-G. Beaubien et Cie.

On fit donc une offre d'achat pour les actions des compagnies d'électricité, en respectant les règles du jeu. Il n'y eut pas de projet de loi d'expropriation mais un arrêté en conseil permettant à Hydro-Québec d'acheter les compagnies: 90% des actionnaires acceptèrent l'offre, et le financement fut réalisé par un placement privé de 300 millions de dollars à New York, une des plus grosses opérations de ce type avant celle de 500 millions de dollars qui allait être effectuée en 1969 pour le financement de Churchill Falls.

RETOUR EN ARRIÈRE

Créée en 1944 sans aucune mise de fonds de l'État, Hydro-Québec parvenait à se bâtir un bilan plus respectable par l'accumulation de profits réinvestis qui, 20 ans plus tard, atteignaient 20% de ses actifs. Durant la première décennie de son existence, les marchés financiers furent, en

Le poste Hertel.

Travaux d'entretien à la centrale de Beauharnois.

rétrospective, extrêmement stables, le taux d'escompte de la banque centrale demeurant fixe à 1½% pendant six ans jusqu'au début de la guerre de Corée en 1950, pour monter à 2% pour les quatre années suivantes.

À partir du premier emprunt obligataire aux États-Unis en décembre 1953, jusqu'aux achats des entreprises privées en 1963, Hydro-Québec augmentait sa dette au rythme d'environ 100 millions de dollars par année. Le plus souvent on effectuait une seule émission d'obligations sur le marché américain pour la moitié des sommes requises, et on complétait la différence par trois ou quatre émissions sur le marché canadien. C'est ainsi qu'en 1957 on finança en bonne partie le remboursement de la dette de 112,5 millions contractée en 1947. Tout au long des années 50, le coût en intérêts des emprunts à long terme aux États-Unis demeurait plus bas qu'au Canada et la cote de crédit de la province de Québec lui permettait d'emprunter sur le marché canadien à des coûts plus bas que celui de toutes les autres provinces canadiennes. Cette situation prévaut jusqu'en 1962 et contraste sensiblement avec celle des années subséquentes, où le coût des emprunts de la Province est, à certains moments, le plus élevé de toutes les provinces et presque jamais plus bas que le coût moyen des emprunteurs provinciaux.

Au début des années 60, en même temps qu'elle débordait de la région montréalaise par l'acquisition de Shawinigan Water and Power et d'autres sociétés privées, Hydro-Québec doublait ses emprunts annuels. Pour l'équipe de financement, le marché américain était déjà un sentier battu mais il fallait maintenant l'élargir pendant que, de leur côté, les ingénieurs traçaient de nouveaux chemins vers des rivières plus sauvages. En 1965, celui qui allait être l'élève et rapidement devenir le partenaire de jeu d'Edmond Lemieux, Georges Lafond, entrait à la direction financière de l'entreprise. Deux personnalités contrastées et hautes en couleur, où il est difficile de deviner le fond comptable qui leur est commun.

Bersimis, Carillon, Manicouagan-Outardes, Churchill Falls allaient se succéder, multipliant la capacité de production électrique, enrichissant le folklore québécois et exigeant des financements à la taille des masses d'eau qu'ils endiguaient.

The massive Manic project
First put us on the map
With flashy lender visits
A feather in our cap

The Churchill left us breathing
Tho problems came of late
And now the Bay of James
Has shown how we rate.

LA STRATÉGIE DE FINANCEMENT

Hydro-Québec se devait d'avoir une stratégie de financement. C'était, au départ, une stratégie ancrée sur quelques principes simples et conservateurs: maximiser les emprunts obligataires à long terme et à taux fixes et favoriser la continuité des relations institutionnelles. Quant au placement des sommes empruntées, il fallait qu'au soir même d'un emprunt elles soient intégralement investies de façon à ce qu'il n'y ait pas un sou de plus dans les comptes de banque d'Hydro-Québec après la réception des chèques provenant des prêteurs. Une stratégie qui s'accompagnait d'objectifs de négociation clairs: accroître le montant moyen des emprunts, étendre l'échéance à 30 ans sur le marché américain et à 25 ans sur le marché canadien, réduire les commissions des intermédiaires financiers à des niveaux plus compétitifs. Une stratégie toutefois qui laissait place à l'intuition et à l'entrepreneurship financier pour réussir l'adaptation aux conditions changeantes des marchés et de la conjoncture.

Au début des années 60, le gouvernement fédéral, préoccupé par l'évolution du Dollar canadien, s'objectait aux émissions d'obligations à l'étranger et imposait, en décembre 1960, une taxe de 15% retenue à la source sur les intérêts des obligations en devises étrangères émises par les emprunteurs canadiens. De 1960 à 1962, Hydro-Québec s'était abstenue d'émettre des obligations sur le marché américain alors que le Dollar canadien se dépréciait rapidement avant d'être fixé par la banque centrale à un prix de 92,5 cents U.S. C'était le premier bouleversement important de la valeur de la monnaie canadienne. En 1963, profitant d'un écart très favorable entre les coûts d'emprunt à court et à long termes, Hydro-Québec décidait alors de financer par des billets à court terme l'acquisition des filiales ne faisant pas partie du prix payé pour les actions des sociétés d'électricité privées. Cette solution de financement offrait de plus une alternative aux crédits bancaires. Au moment de s'engager sur ce marché des billets, les dirigeants financiers de la Société profitèrent de l'expertise de D. Fullerton pour évaluer les offres de quelques courtiers canadiens. Le poids d'Hydro-Québec sur ce marché fut rapidement assez important, atteignant dès 1963 l'équivalent d'environ la moitié des billets en circulation émis par l'ensemble des entreprises non financières au Canada. Des responsables d'Hydro-Ontario viennent alors s'informer de l'expérience au moment où ils envisagent de faire leur entrée sur ce même marché. À la fin de l'été 1966, Hydro-Québec fut introduite au marché américain des billets à court terme par la firme new-yorkaise Salomon Brothers. De son côté, la firme Lehman Brothers assumait la responsabilité de développer et de maintenir un marché pour ces titres. C'était la première émission de billets aux États-Unis par un émetteur étranger.

En 1966, la Caisse de dépôt et de placement du Québec, qui venait d'être créée, commence à fournir des fonds à Hydro-Québec et devient rapidement le plus gros acheteur de ses obligations émises au Canada. Au même moment, la maison de courtage Ames, qui avait dirigé jusque-là presque toutes les émissions d'Hydro-Québec sur le marché canadien, est remplacée par la firme Lévesque Beaubien. Par la suite, cette dernière dominera le plus souvent les syndicats financiers chargés des financements d'Hydro-Québec au Canada, en alternance principalement avec la firme Wood Gundy. Vers la fin de 1968, un nouveau pas est franchi quand, répondant aux propositions de Nesbitt Thomson et de White, Weld & Co. de Londres, Hydro-Québec contracte son premier emprunt en dollars américains sur le marché européen.

LA DIVERSIFICATION DES MARCHÉS

Cette première euro-émission, même modeste, ouvrait un nouveau marché à un moment opportun et s'inscrivait dans une démarche qu'Hydro-Québec jugeait nécessaire pour réduire sa dépendance du marché américain qui fermait graduellement ses portes, depuis 1963, à la plupart des emprunteurs étrangers. En effet, en 1969, après 100 mois de croissance économique continue, la situation change. Le crédit se raréfie au Canada. Exception faite des sommes fournies par les régimes publics de pension, presque toutes les émissions d'obligations des provinces et des municipalités sont réalisées à l'étranger. De même, aux États-Unis, on assiste en 1968 à un resserrement marqué du crédit. De plus, le gouvernement américain, aux prises avec d'importants déficits dans sa balance des paiements, avait imposé en 1963 une taxe sur les émissions de titres étrangers aux États-Unis. Quelques mois plus tard, les émetteurs canadiens ainsi que ceux des pays en voie de développement en furent exemptés. En 1965, cette taxe avait été étendue aux prêts bancaires alors qu'un programme de restriction des transferts de fonds à l'étranger avait été appliqué aux institutions et entreprises américaines, d'abord sur une base volontaire, puis sur une base coercitive à partir de 1968. La Banque du Canada, au début de 1966, avait même demandé à certains emprunteurs canadiens de retarder leurs émissions d'obligations aux États-Unis. Les dirigeants d'Hydro-Québec s'inquiétaient, à juste titre, de l'éventualité d'une fermeture du marché américain qui leur aurait causé d'énormes difficultés à réaliser leur programme d'emprunts.

Cette première incursion sur les marchés euro-devises par Hydro-Québec allait donc être répétée au cours des années suivantes. Cela donna lieu à d'autres premières, comme l'emprunt de 1975 en euro-dollars canadiens. À compter de 1969, on utilisa également le marché allemand. On réalisa, cette année-là, deux émissions, la deuxième étant effectuée en septembre, juste avant que les autorités allemandes décident de laisser flotter temporairement leur monnaie pour ensuite la réévaluer d'environ 9%.

De 1969 à 1973, cinq émissions importantes furent réalisées en marks allemands avec la participation de deux banques, Westdeutsche Landesbank et Commerzbank. Ces deux institutions venaient s'ajouter à la liste des institutions financières internationales de premier rang qu'Hydro-Québec comptait au nombre de ses relations institutionnelles. Mais, aussi puissante que fût l'économie allemande du début des années 70, il n'en restait pas moins que ses marchés financiers étaient essentiellement au service de ses propres besoins et que la banque centrale de la République fédérale calibrait les ponctions que pouvaient y faire les emprunteurs étrangers. En 1972, Hydro-Québec fait son entrée sur le marché suisse. Un marché profond, régulier, où Hydro-Québec allait placer plus de 20 émissions importantes au cours des 10 années suivantes. Faire sa place dans un nouveau marché est souvent une opération délicate. En 1973, la première tentative d'Hydro-Québec d'emprunter en dollars canadiens en Europe avortait. L'emprunt euro-canadien de 1975 fut finalement conclu mais non sans douleur. L'Union des banques suisses, une institution de renom, n'en était cependant qu'à sa deuxième expérience à titre de chef de file d'un syndicat financier sur le marché des euro-obligations. Faute d'acheteurs immédiats, elle dut exiger, avec une insistance jusqu'alors peu coutumière dans les cercles financiers internationaux, que les membres du syndicat respectent leurs engagements.

Hydro-Québec élargissait l'éventail de ses sources de financement à mesure que de nouveaux marchés prenaient naissance dans un contexte de fortes perturbations financières. Après la dévaluation de la Livre anglaise en 1967, la première depuis 1949, et celle du Franc français en 1969, et après l'appréciation du Mark allemand en 1969 et celle du Franc suisse en 1971, la première depuis 1936, c'était au tour du Dollar américain de se réaligner à la baisse en 1971 et de nouveau en 1973. C'est alors l'effondrement des accords de Bretton Woods, qui régissaient, depuis la Deuxième Guerre mondiale, la stabilité de la valeur des monnaies. On légalise les monnaies flottantes et le prix de l'or est abandonné aux forces du marché. Vient ensuite la crise du pétrole.

D'autres places financières allaient s'ajouter entre 1973 et 1983 à la liste des fournisseurs de fonds d'Hydro-Québec: le marché des fonds du Moyen-Orient (1973-1974), les marchés privés japonais (1977) et hollandais (1982), le marché public britannique (1981) et même la section ECU (*European Currency Units*) des marchés européens (1982). Ces nouvelles additions n'ont cependant pas le poids des marchés allemand et suisse, ce qui nous justifie d'affirmer que, dès 1972, au moment où commençaient les travaux de la Baie James, Hydro-Québec avait établi son nom dans les marchés dominants qui devaient fournir l'essentiel des financements qu'exigerait sa croissance foudroyante. Doit-on voir dans cette diversification des marchés de financement de l'entreprise un effet de sa stratégie financière? On ne peut répondre à cette question sans regarder de plus près l'équipe de financement et la préoccupation qui devint la sienne d'as-

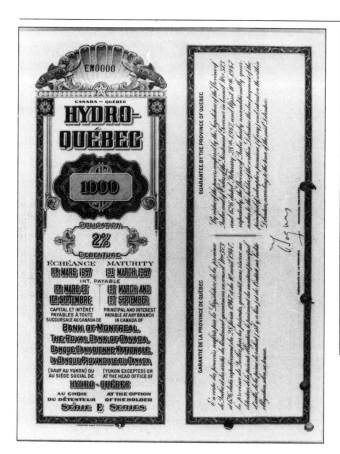

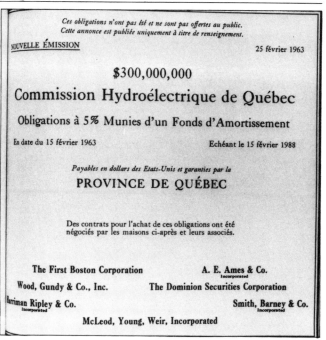

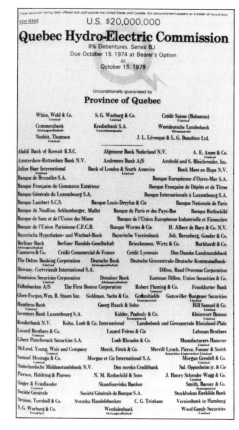

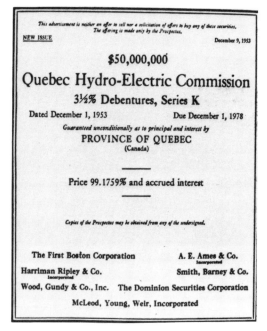

1947. Titre obligataire de l'émission de 112,5 millions qui finançait la nationalisation de 1944 (en haut, à gauche).
1953. Première émission d'obligations aux États-Unis (ci-dessus).

1963. Placement privé d'obligations aux États-Unis pour financer l'achat de la Shawinigan Water and Power Company et des autres entreprises d'électricité (en haut, à droite).
1969. Première émission d'euro-obligations en dollars US.

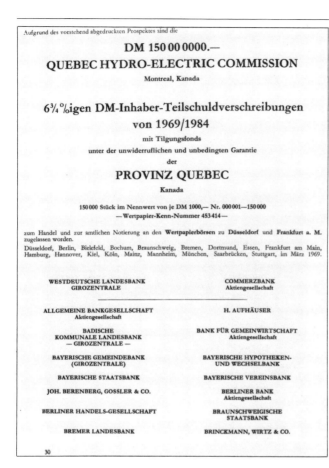

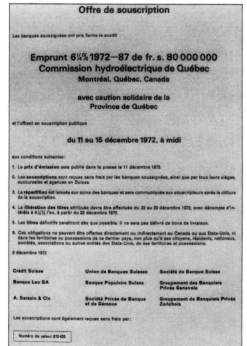

1969. Première émission d'obligations en marks allemands (en haut, à gauche).
1972. Première émission d'obligations en francs suisses (ci-dessus).

1975. Première émission d'euro-obligations en dollars canadiens (en haut, à droite).
1981. 40 millions. Première émission d'obligations en livres sterling (ci-dessus).

surer un approvisionnement à toute épreuve des besoins de fonds d'Hydro-Québec.

L'ÉQUIPE DE FINANCEMENT

Le noyau de l'équipe de financement, à ce tournant des années 70, était constitué d'Edmond Lemieux, de Georges Lafond, John Field, Marcel Bessette et Jean Labrecque. C'est aux deux premiers qu'incombait la tâche, on pourrait dire le plaisir, de monter le chapiteau d'Hydro-Québec dans les cirques financiers d'Amérique et d'ailleurs. Edmond Lemieux, appuyé au départ par Roland Giroux, est celui qui a établi le solide réseau de relations d'Hydro-Québec aux États-Unis. On y retrouve les principaux dirigeants de syndicats financiers, First Boston Corporation en tête, et les plus gros investisseurs institutionnels en obligations, comme les compagnies d'assurances Prudential, Metropolitan et Aetna. C'est lui qui introduisit sur le marché américain son partenaire, Georges Lafond, qui n'allait pas tarder à y affirmer sa robuste personnalité. C'est ensemble qu'ils ont développé la filière européenne avec ses deux banques allemandes, ses trois banques suisses, le Crédit suisse, l'Union des banques suisses et la Société de banque suisse, et les *merchant bankers* britanniques comme White Weld et S.G. Warburg. Certaines incursions sur des marchés moins habituels, comme celle toute confidentielle auprès des financiers arabes, ont été celles de Georges Lafond. À John Field et Jean Labrecque, revenaient les responsabilités des opérations sur les marchés des changes, des placements sur les marchés monétaires, de la gestion de la caisse de retraite, et, en général, celle d'assurer le suivi des opérations de financement.

Une équipe aussi restreinte, responsable d'un programme d'activités aussi chargé, devait afficher des qualités d'entrepreneurship, un goût de l'action peu commun et un appétit modeste pour les vacances. Il faut des nerfs d'acier, une bonne dose de culot, une intuition sûre, pour tenir dans ces parties de poker financier où, même avec ses meilleures relations, il vaut toujours mieux avoir le dos au mur. Des qualités qui assurent la survie dans un monde de salles enfumées et de coups de téléphone, où les George Smiley le disputent aux James Bond. Des qualités nécessaires pour aller vendre une entreprise et des projets à des hommes qui détiennent les clés de la finance. Des qualités requises aussi pour évaluer rapidement certaines propositions que vous font des professionnels qui, souvent mieux que vous, ont eu le temps d'analyser vos besoins et votre situation. Des qualités utiles, enfin, pour évaluer d'autres propositions qui vous viennent de personnages moins professionnels ou moins scrupuleux, qui flairent une bonne occasion d'affaires. C'est l'actuel trésorier d'Hydro-Québec, André Dubuc, qui a en grande partie hérité de la tradition de l'équipe de financement. Depuis 1975, il a participé avec enthousiasme aux *road shows*, aux négociations d'émission et aux opérations de gestion de la dette.

L'équipe de financement était donc petite et l'expertise technique et analytique était restreinte, compte tenu de la croissance rapide de la gamme et de la complexité des instruments et des marchés financiers. Quelques firmes fournissaient à Hydro-Québec des opinions averties sur les décisions de financement. Les formulations contractuelles des emprunts étaient presque entièrement confiées à des aviseurs externes comme l'avocat Pierre Sauvé ou des spécialistes de la firme new-yorkaise Sullivan & Cromwell qui ont participé à la plupart des opérations importantes de financement d'Hydro-Québec. On peut donc penser que c'est avec soulagement que les membres de l'équipe ont vu, peu à peu, se joindre à eux quelques professionnels qui ajoutaient à la capacité d'analyse de la situation, des besoins et des marchés. Malgré cela, les structures de

Roland Giroux entouré de deux dirigeants d'Hydro-Québec largement engagés dans le financement des projets d'Hydro-Québec: Edmond-A. Lemieux et Georges Lafond.

la direction du financement d'Hydro-Québec demeurent légères et très peu bureaucratiques en cette deuxième partie des années 70. Aurait-on pu d'ailleurs financer la Baie James aussi efficacement et s'assurer le même degré de loyauté de la part des prêteurs importants, si on avait opéré dans un cadre plus formel?

LA POLITIQUE DE LIQUIDITÉ

Il est assez clair que l'entrée d'Hydro-Québec sur le marché des euro-obligations, comme sur ceux de l'Allemagne et de la Suisse, allait à l'encontre de la stratégie de base de l'entreprise. Sur ces marchés, les montants d'émission sont en général moins gros et surtout les emprunts réalisables sont de plus courte durée que sur les marchés nord-américains. Mais dans cette première moitié des années 70, d'autres préoccupations dominent la politique de financement d'Hydro-Québec. Les projets sont énormes; après Manicouagan et Churchill Falls, voici maintenant la Baie James. Les responsables du financement de l'entreprise se font répéter qu'ils seront incapables de les financer. Ils ne cachent pas leur anxiété aux ingénieurs aux prises avec le défi de réaliser des exploits plus physiques.

La diversification des sources de financement réduisait la dépendance d'Hydro-Québec envers le marché américain, mais ces nouveaux marchés ne pouvaient suffire à assurer, à des coûts compétitifs, la réalisation d'un programme d'emprunt aussi gigantesque. Il aurait fallu multiplier les émissions d'obligations, ce qui aurait saturé l'appétit des prêteurs et entraîné des taux d'intérêt exorbitants. De plus, les marchés étaient volatiles au début des années 70. Il fallait se prémunir contre le tarissement sporadique des sources de fonds. Emprunter dans des conditions d'urgente nécessité affaiblit toujours le pouvoir de négociation d'un emprunteur. Il perd sa capacité de choisir le moment où les taux sont les plus avantageux et il voit baisser la réputation de sa gestion financière. Dans la mesure du possible, le financement de la Baie James ne devait pas ajouter d'autres risques à ceux déjà énormes associés à la réalisation physique du projet. C'est alors que la préoccupation de liquidité devint importante. L'exemple d'emprunteurs de premier rang, comme la Banque mondiale qui en tout temps garde en placements à court terme l'équivalent de 30 mois de besoins de décaissement, attire l'attention. On décide de construire un coussin de sécurité correspondant à une année de travaux.

Comme l'écart de taux ne favorisait plus autant la solution du financement par billets à court terme, on prend la décision de ne pas tous les renouveler quand ils viennent à échéance. Le stock de billets à court terme passe ainsi de 250 millions de dollars à quelque 50 millions, niveau jugé suffisant pour assurer la présence de l'entreprise sur ce marché et le garder ouvert en cas de besoins imprévisibles. On revoit à la hausse les marges de crédit bancaire. L'objectif premier de la politique de financement, à cette période, devient la constitution d'une réserve de liquidité. La minimisation du coût ou la maximisation des échéances et des montants moyens d'émission passent au second rang. Le résultat est atteint. En 1974, la liquidité nette est de l'ordre de 150 millions de dollars, elle est de 290 millions en 1975 et, en 1976, on dépasse même l'objectif pour fermer l'année avec des réserves liquides de plus d'un milliard de dollars. Le marché canadien est utilisé au maximum, tant par des émissions publiques que par des placements privés, auxquels la caisse de retraite d'Hydro-Québec, la Caisse de dépôt et de placement du Québec et plus tard Heritage Fund de l'Alberta souscrivent de façon importante. De plus, les nombreuses émissions d'Hydro-Québec, sur les marchés qui ne lui étaient pas habituels, ont aidé à cette hausse des liquidités de l'entreprise, comme c'était leur but. Toutefois, c'est un emprunt exceptionnel sur le marché privé américain qui a le plus contribué à la réalisation de l'objectif.

LE MILLIARD DE 1976

Pour 1976, l'objectif d'Hydro-Québec est d'assurer un coussin de sécurité de 500 millions de dollars. Les opérations de la Baie James sont en marche et les besoins de décaissement sont énormes. Le marché américain est excellent, la demande hypothécaire est assez faible, les compagnies d'assurances ne sont pas assaillies par des demandes d'emprunt de leurs assurés, le volume des emprunts intérieurs est restreint: le marché, particulièrement celui des placements privés institutionnels, est liquide. Un projet est lancé avec First Boston. Deux ou trois personnes sont au courant à Hydro-Québec, à peu près le même nombre à Québec. Aux États-Unis, seule First Boston est sur l'affaire, ce qui est inhabituel. On utilise un nom de code pour sonder les investisseurs éventuels. La compagnie d'assurances Prudential se dit prête à prendre 125 millions, et la compagnie Metropolitan, 100 millions, c'est plus que ce qu'on attendait.

L'objectif de 500 millions est revu à la hausse. First Boston réunit quatre autres *investment bankers* dont Salomon Brothers, leur annonce que le projet d'émission d'Hydro-Québec porte sur un milliard de dollars et demande à chacun de se répartir le marché en sondant ses principaux clients institutionnels. Salomon Brothers demande à réfléchir et, après consultation avec une autre société hydroélectrique canadienne pour qui elle s'apprêtait à lancer une émission du même type, elle revient à la table. Les discussions sont serrées, certains prêteurs perçoivent que l'étanchéité de leurs garanties financières pourrait être affectée par la création d'une filiale distincte pour la réalisation du projet de la Baie James. Ils ont gain de cause et, dans l'optique des marchés financiers, la SEBJ (Société d'énergie de la Baie James) devient indissociable d'Hydro-Québec. Le milliard est réuni rapidement. Le jour de la signature, en février 1976, l'émotion est forte: c'est la ronde désordonnée des chèques qu'on additionne et des certificats qu'on signe. Mais, au soir de cette aventure, Jean Lesage, avocat d'Hydro-Québec, respire avec satisfaction. Il vient d'assister à une opération de maître, le point culminant d'une relation solide et continue entre Hydro-Québec et First Boston Corporation, qui réalisa le premier emprunt d'Hydro-Québec sur le marché américain en 1953.

NEW ISSUE

February 20, 1976

$1,000,000,000

Hydro-Québec

10¼% Sinking Fund Debentures, Series CX, Due 1996

Guaranteed unconditionally as to principal and interest by

PROVINCE OF QUEBEC

Purchase Agreements relating to the direct placement of the above Debentures
were negotiated by the undersigned.

The First Boston Corporation   **Bache Halsey Stuart Inc.**

A. E. Ames & Co.
Incorporated   **Salomon Brothers**

Merrill Lynch, Pierce, Fenner & Smith
Incorporated

Datant de 1976, un placement privé
d'obligations en dollars US:
1 milliard, montant record pour
l'époque.

151

HYDRO-QUÉBEC
ÉCHÉANCE FINALE MOYENNE DES NOUVEAUX EMPRUNTS
(excluant les fonds d'amortissement)

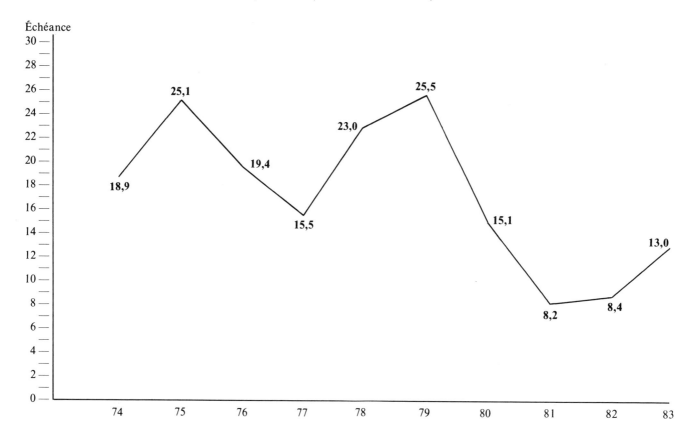

TAUX D'INTÉRÊT COMPARÉS
EN FIN D'ANNÉE

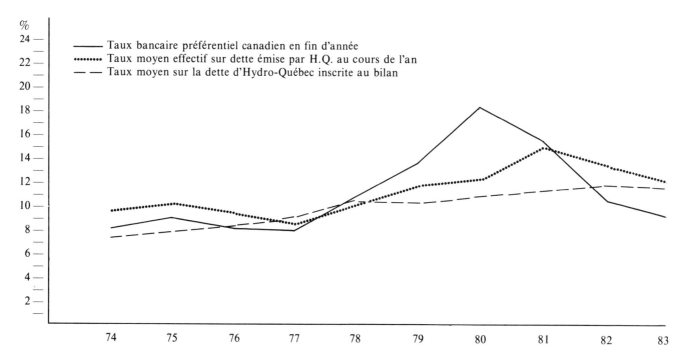

Taux bancaire préférentiel canadien en fin d'année
Taux moyen effectif sur dette émise par H.Q. au cours de l'an
Taux moyen sur la dette d'Hydro-Québec inscrite au bilan

HYDRO-QUÉBEC
ÉVOLUTION DES DIX DERNIÈRES ANNÉES
ACTIFS ET DETTE À LONG TERME
(exprimé en dollars canadiens aux taux de change historiques)

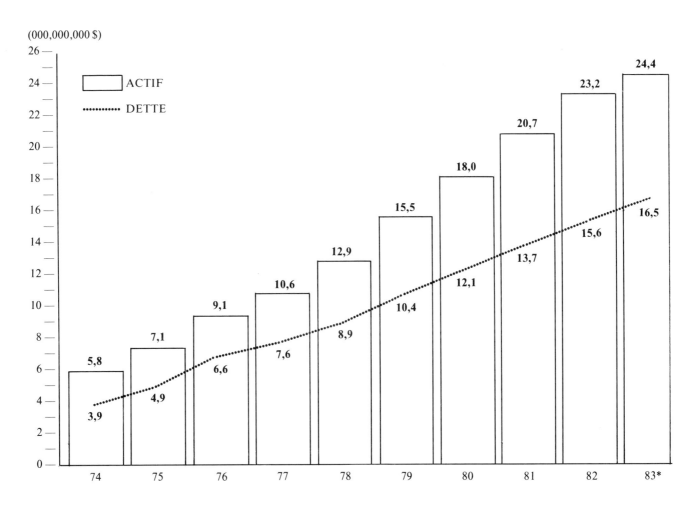

au 31 décembre

* au 30 septembre

DETTE À LONG TERME D'HYDRO-QUÉBEC
SELON LES DEVISES

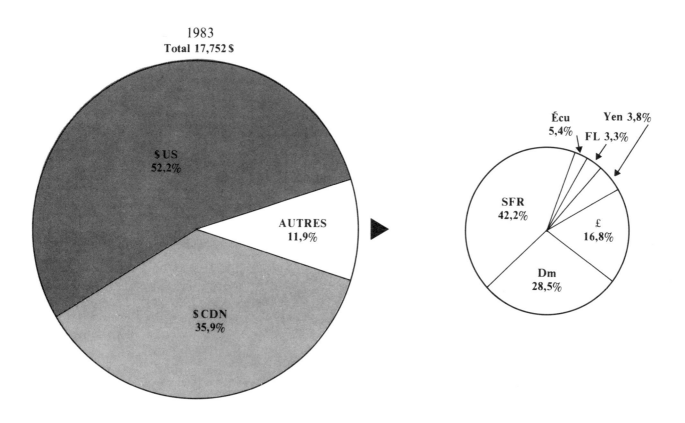

1983
Total 17,752 $

$ US
52,2%

AUTRES
11,9%

$ CDN
35,9%

Écu
5,4%

Yen 3,8%

FL 3,3%

SFR
42,2%

£
16,8%

Dm
28,5%

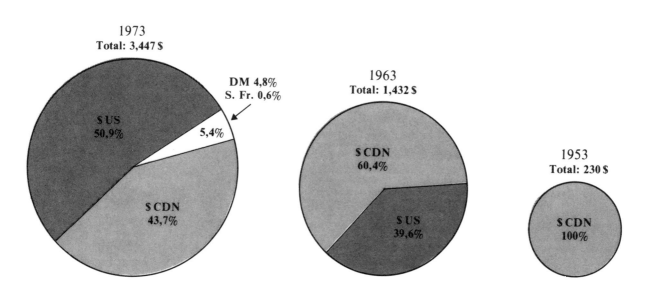

1973
Total: 3,447 $

DM 4,8%
S. Fr. 0,6%

$ US
50,9%

5,4%

$ CDN
43,7%

1963
Total: 1,432 $

$ CDN
60,4%

$ US
39,6%

1953
Total: 230 $

$ CDN
100%

DETTE À LONG TERME D'HYDRO-QUÉBEC, SELON LES MARCHÉS FINANCIERS, AU 31 DÉCEMBRE 1983
(en millions de dollars canadiens)

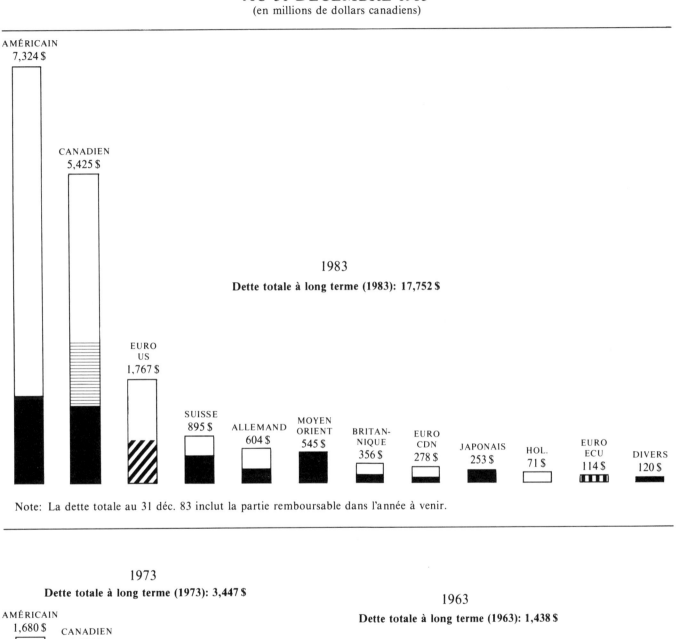

1983

Dette totale à long terme (1983): 17,752 $

AMÉRICAIN 7,324 $
CANADIEN 5,425 $
EURO US 1,767 $
SUISSE 895 $
ALLEMAND 604 $
MOYEN ORIENT 545 $
BRITAN-NIQUE 356 $
EURO CDN 278 $
JAPONAIS 253 $
HOL. 71 $
EURO ECU 114 $
DIVERS 120 $

Note: La dette totale au 31 déc. 83 inclut la partie remboursable dans l'année à venir.

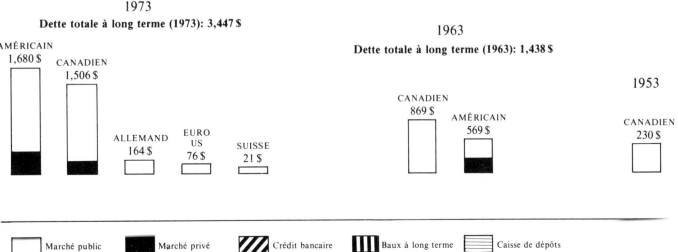

1973

Dette totale à long terme (1973): 3,447 $

AMÉRICAIN 1,680 $
CANADIEN 1,506 $
ALLEMAND 164 $
EURO US 76 $
SUISSE 21 $

1963

Dette totale à long terme (1963): 1,438 $

CANADIEN 869 $
AMÉRICAIN 569 $

1953

CANADIEN 230 $

Marché public — Marché privé — Crédit bancaire — Baux à long terme — Caisse de dépôts

Sur cette photographie sont réunis des hommes qui sont ou ont été directement ou indirectement liés à l'évolution d'Hydro-Québec. Ce sont des milliards de dollars qu'ils ont gérés à un moment ou l'autre de leur carrière. Nous reconnaissons, dans l'ordre habituel, Georges Lafond, Paul Dozois, Raymond Garneau, Roland Giroux, Jean Lesage, Jacques Parizeau. Robert A. Boyd, Guy Monty et Edmond-A. Lemieux.

L'ENCAISSEMENT D'UN MILLIARD DE DOLLARS

La réussite de cette gigantesque émission d'obligations est annoncée avec éclat à la communauté financière. Il s'agissait du plus gros emprunt jamais effectué par un emprunteur étranger aux États-Unis. Aussitôt, tout le marché des changes comprend qu'Hydro-Québec doit acheter plus d'un milliard de dollars canadiens. La Banque du Canada en est informée à l'avance. L'équipe d'Hydro-Québec se devait de diffuser l'impact d'un tel achat sur le prix du Dollar canadien. Autrement, la hausse subite de la devise canadienne aurait causé des difficultés à la Banque du Canada et, surtout, aurait diminué le montant de dollars canadiens que la Société aurait obtenu en échange de ses dollars américains. John Field, André Dubuc et André St-Michel s'en occupent activement. Des spécialistes sont consultés pour affermir la stratégie.

Les besoins immédiats d'Hydro-Québec étaient à peine de 50 millions de dollars. Des transactions planifiées à l'avance avaient déjà absorbé une partie de l'impact de cette conversion bien avant que l'émission ne soit conclue. Au moment de l'émission on effectue des placements, on les accompagne d'opérations sur le marché des changes pour ainsi étaler la conversion en dollars canadiens, du printemps jusqu'à l'automne.

À l'automne 1976, le Dollar canadien, appuyé depuis plusieurs mois par d'autres emprunts massifs à l'étranger effectués par des provinces et des municipalités, se transige à plus de 1,03 US$. Il entreprend peu après une chute rapide qui l'amènera en une quinzaine de mois à 0,89 US$. Depuis, on ne reverra plus le Dollar canadien à ce prix. Le temps est fini où, dans l'esprit d'un peu tout le monde, chez Hydro-Québec comme ailleurs, un dollar canadien est à peu près la même chose qu'un dollar américain. Il reste toujours possible, par des refinancements en dollars américains, de différer à des moments plus favorables l'acquittement de la facture en dollars canadiens du capital américain qu'on a déjà emprunté. Mais on ne peut plus échapper à l'évidence: il faut tenir compte de l'instabilité possible entre les deux monnaies. Non pas que l'on puisse se passer des marchés étrangers. Les besoins de fonds d'Hydro-Québec sont énormes et le marché américain demeure toujours le plus gros bassin de capital au monde. Hydro-Québec compte au nombre, somme toute restreint, des emprunteurs étrangers de haute qualité qui ont continuellement accès à ce marché. De 1963 à 1976, Hydro-Québec y avait effectué des émissions publiques d'obligations chaque année.

LE 15 NOVEMBRE 1976 ET SES LENDEMAINS

On retrouve dans les livres d'Hydro-Québec un emprunt obligataire privé daté du 18 novembre 1976. Cette opération, signée le 18 novembre, avait été conclue, en fait, le 15 novembre 1976. Ce jour-là, les négociateurs d'Hydro-Québec n'avaient pas caché qu'ils anticipaient la victoire du parti de René Lévesque, anticipation qui avait été confirmée par le conseiller légal montréalais des prêteurs. La compagnie d'assurances qui avait souscrit l'émission fut tenue au fait du déroulement de la situation politique, heure par heure, par les responsables financiers d'Hydro-Québec. Le 18 novembre, affirmant qu'un contrat est un contrat, même quand il n'est pas formellement fermé, elle signait les documents. Hydro-Québec commençait à recueillir les bénéfices de la qualité des liens que ses responsables financiers avaient tissés avec la communauté financière internationale. Pour plusieurs de ces financiers étrangers, les barrages d'Hydro-Québec étaient leurs barrages. On vit même, au lendemain du 15 novembre, un directeur de First Boston défendre publiquement la qualité de son client.

Et la Société avait besoin de ces appuis. Le programme de la Baie James battait son plein, on savait que les besoins annuels de fonds allaient bientôt atteindre les deux milliards de dollars. La stratégie adoptée pour retrouver la confiance des marchés, ébranlée par la venue au pouvoir du parti indépendantiste, fut, selon Georges Lafond, concentrique. Les émissions d'obligations offertes directement au public étaient hors de portée. Ces marchés étaient trop nerveux. Il fallait donc d'abord réaliser des emprunts obligataires privés auprès des institutions. À cause de la qualité des relations qui peuvent être établies avec des prêteurs institutionnels, ceux-ci se révèlent plus imperturbables et constituent des sources de financement plus continues. Ensuite, il fallait s'adresser aux marchés les plus habitués aux bouleversements politiques. Les marchés européens en avaient vu d'autres et, dans leurs portefeuilles, le poids des émissions d'obligations des emprunteurs publics québécois était beaucoup plus faible qu'aux États-Unis. Georges Lafond prit donc l'avion pour Zurich. Le 23 décembre 1976, les trois grandes banques suisses souscrivaient, à parts égales, un emprunt de 300 millions de francs suisses, pour cinq ans. Ce marché n'allait pas se démentir. Dès 1977, Hydro-Québec put y placer une émission publique de 100 millions de francs.

En 1977, sous l'impulsion de son président, Roland Giroux, et avec la participation de la firme Morgan Stanley, Hydro-Québec fait un placement privé en yens japonais. La même année, un placement privé est négocié sur le marché américain. En 1977 toujours, le marché allemand souscrit deux émissions publiques et les marchés euro-obligataires sont utilisés. La situation politique, ajoutée aux énormes besoins de l'entreprise, ne fait rien pour améliorer la marge d'Hydro-Québec sur les marchés financiers, mais on ne manquera pas de fonds. À l'automne 1978, on peut recommencer à faire des émissions publiques sur le marché américain, cinq ans avant que la Province de Québec ne puisse en faire autant.

LES EURO-CRÉDITS DE 1978

Quelque remarquable qu'ait été ce redressement, il ne suffisait pas à combler tous les besoins de liquidité d'Hydro-Québec. En 1978, il faut donc faire appel à un autre compartiment du marché international des capitaux: la syndication bancaire des euro-crédits. Cet appel au marché des euro-crédits contredit la stratégie de financement d'Hydro-Québec. Ce sont des emprunts à relativement court terme et à taux flottants. Pour la première et la seule fois, Hydro-Québec compte sur les banques pour assurer la plus grande part de son financement annuel. L'emprunt est énorme: 750 millions de dollars américains, pour huit ans et à taux varia-

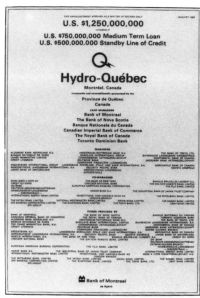

ble, plus un crédit *stand by* de 500 millions. Cinquante banques, de onze pays, participent au syndicat. Deux ans plus tard en 1980, l'emprunt est renégocié. Hydro-Québec cherche à obtenir une réduction de la prime par rapport au taux interbanque de l'Euro-dollar sur le marché de Londres (LIBOR) qui détermine le coût en intérêt de ces emprunts. Cette prime est finalement réduite de ¾ à ½ de 1% en même temps que l'échéance du prêt est allongée. Mais au dernier moment, plusieurs grosses banques américaines décident de ne pas participer. Sans qu'on ait prévu le fait, ce sont des banques japonaises qui viennent combler le vide.

L'IREQ, le 29 janvier 1980: signature de l'emprunt d'Hydro-Québec de 1 250 000 000 $ après renégociation avec les prêteurs (à gauche).
1980. Refinancement du premier euro-crédit bancaire de 1978.
1,25 milliard (ci-dessus).

LA FIN D'UNE ÉTAPE

De 1979 à 1982, Hydro-Québec exploite à fond les marchés étrangers. Ses besoins de fonds sont alors de plus de deux milliards de dollars par an et, pour leur part, la Province, les municipalités et les commissions scolaires ont besoin de toute la place qui s'ouvre sur le marché canadien. De 1979 à 1981, Hydro-Québec est le quatrième plus important emprunteur sur le marché public des obligations aux États-Unis. Ce résultat est remarquable. Pendant ces années, les marchés financiers à long terme sont extrêmement agités. De l'été 1979 au printemps 1980, le taux d'escompte de la Banque du Canada passe de 11% à plus de 15,5%. Il redescend à près de 10% à l'été 1980 et remonte pour atteindre un nouveau sommet historique de 21%, au mois d'août 1981. Les emprunteurs étrangers ne sont pas nombreux à obtenir une place sur le marché obligataire américain. Les entreprises américaines elles-mêmes se heurtent à des conditions très difficiles. Les prêteurs à long terme se retirent en masse des marchés obligataires.

En juin 1981, après 35 ans à Hydro-Québec, Edmond Lemieux quitte pour l'Ouest et de nouveaux défis financiers. Les vers cités plus haut sont extraits du poème qu'il écrivit à cette occasion, comme à plusieurs autres moments importants de sa vie à Hydro-Québec. En voici encore deux quatrains:

Today the rules are changing
For government needs are high
Although we're still the richest
It's time for me to fly

I thank you gentle people
You've made work into play
Be kind to George I beg you lest
He follow in my way

Le barrage Daniel-Johnson.

Une ligne de transport à 735 kV.

Georges Lafond a quitté la direction financière de l'entreprise pour en assumer la direction marketing. La phase intense de construction de barrages est terminée; maintenant, il faut vendre de l'électricité aux Américains: l'expérience et la crédibilité qu'il a acquises sur ce marché viennent à propos.

APRÈS LA BAIE JAMES: LA GESTION DE LA DETTE

Il faut maintenant gérer une dette qui ne grossira pas aussi vite que par le passé. Après des emprunts annuels records de 2,3 milliards en 1981 et 1982, ceux-ci baisseront à une moyenne annuelle de 1,6 milliard de 1984 à 1986. Avec la fin, en 1985, des travaux sur le chantier LG-4, ce qui complétera la phase 1 du projet de la Baie James, les investissements en production d'électricité diminueront de plus de moitié par rapport aux trois années précédentes. Ce seront alors les investissements en équipements de transport et de distribution qui accapareront la majorité des investissements totaux d'Hydro-Québec.

De 1980 à 1983, la rareté de l'offre de fonds à long terme et le niveau élevé des taux d'intérêt provoquent un raccourcissement significatif dans la durée moyenne des nouveaux emprunts réalisés par Hydro-Québec. Elle dépasse à peine 11 ans au cours de cette période. Du même coup, vu l'importance du montant de ces emprunts, la dette totale d'Hydro-Québec ne possède plus qu'une échéance du même ordre. Les fonds nécessaires au remboursement des obligations venant à échéance iront alors en augmentant pour absorber en 1986 plus de la moitié du produit des emprunts annuels. Il faudra maintenant chercher à rétablir des durées plus longues d'emprunt en recourant le plus possible, selon la conjoncture, aux marchés nord-américains et beaucoup moins aux marchés européens. De plus, il faudra chercher à minimiser les pertes de change sur les emprunts en devises étrangères déjà contractés. L'élimination des

Les responsables du financement d'Hydro-Québec en pourparlers avec les dirigeants du syndicat financier américain First Boston Corporation, à leur bureau de New York.

risques de change sur les nouveaux emprunts ne peut, évidemment, se réaliser que par des emprunts en dollars canadiens. Mais ce marché demeure relativement petit par rapport aux besoins encore substantiels d'Hydro-Québec. En conséquence, Hydro-Québec ne peut s'immuniser totalement contre les fluctuations du Dollar américain, étant donné l'importance de sa dette actuelle en dollars US et le niveau relativement faible des revenus qu'elle pourra générer par des ventes d'électricité aux États-Unis.

Cette gestion de la dette exigera donc des décisions éclairées de la part d'une équipe élargie, maintenant dirigée depuis la fin de 1982 par Pierre Bolduc. À cette fin, on procède à une informatisation plus complète du portefeuille des emprunts et des prévisions d'encaisse. Une expertise interne plus étendue se développe au niveau des aspects légaux et documentaires des emprunts. Enfin, un support d'analyse suivie des marchés est inscrit dans le processus d'examen des possibilités de financement. Même si on pourra réaliser les emprunts avec des contraintes de temps moins serrées que par le passé, le besoin d'informer continuellement des prêteurs plus nombreux et plus changeants ne diminuera pas, loin de là. On s'affaire maintenant à compléter le travail de représentation auprès des prêteurs par la publication d'une documentation financière étoffée, qui permet du même coup de rejoindre plus de monde. À l'intérieur, on assigne les tâches de manière plus spécifique et la direction financière s'associe activement aux mécanismes consultatifs de l'entreprise.

LA POLITIQUE FINANCIÈRE

La stratégie de financement, qui consistait à emprunter à long terme et à taux fixes, avait par elle-même des effets sur la structure de financement et le profil de taux d'intérêt effectif d'Hydro-Québec. Les emprunts d'Hydro-Québec sur les marchés autres que nord-américains venaient certainement modifier ces résultats. Mais le raccourcissement de l'échéance moyenne de la dette d'Hydro-Québec était probablement inévitable, étant donné les besoins de fonds et la situation politique qui imposaient d'exploiter des marchés autres que nord-américains, pour satisfaire aux besoins de liquidité. Il est finalement assez heureux que cet écart à la stratégie idéale se soit produit, en partie, au moment où les taux d'intérêt particulièrement élevés rendaient, de toute façon, les emprunts à très long terme peu attirants.

Cette stratégie de financement s'inscrivait dans le cadre d'une politique financière visant essentiellement à produire une cote de crédit compatible avec les besoins d'emprunt d'Hydro-Québec. Cette politique est dominée par les exigences de deux critères financiers qui ont été formellement incorporés dans la loi 16 de décembre 1981. Cette loi transformait Hydro-Québec en compagnie à capital-actions et ses profits réinvestis étaient redéfinis comme capital-actions dont la propriété était remise à la Province. La satisfaction du premier de ces critères exige que les revenus nets d'exploitation, augmentés des revenus d'intérêt, soient au moins égaux à la totalité des charges d'intérêt à payer. Pour respecter le second critère il faut que les fonds propres, c'est-à-dire le capital-actions et les profits réinvestis, représentent pas moins de 25% du financement à long terme et des billets à payer d'Hydro-Québec. Ce dernier rapport atteint 26,8% au 31 décembre 1982, comparativement à 16,1% pour Hydro-Ontario et 6,7% pour British Columbia Hydro. Les besoins de fonds ont été directement associés aux investissements et l'endettement total d'Hydro-Québec évolue donc proportionnellement à ses investissements. Il serait, de toute évidence, difficile d'accuser Hydro-Québec d'avoir emprunté pour «payer l'épicerie».

Contrairement au cas des compagnies de services publics privées, le rendement des fonds propres n'est pas un facteur qui intervient dans la détermination des tarifs d'électricité. Les tarifs sont nécessairement fixés à un niveau qui produit au minimum les bénéfices qui permettent de respecter les exigences des deux critères énoncés plus haut. Si des dividendes sont versés au gouvernement du Québec, qui est son seul actionnaire, ceux-ci doivent alors être remplacés non pas par des emprunts mais par des hausses de revenus, à partir du moment où le deuxième critère devient contraignant. De cette manière, tant que la loi d'Hydro-Québec demeure en vigueur telle qu'elle est formulée actuellement, la distribution de dividendes ne diminue aucunement la qualité du crédit d'Hydro-Québec. Néanmoins, six mois après l'adoption de la loi 16, l'agence américaine Moody's Investors Service, comme plus tard l'agence Standard & Poor's, révisait à la baisse la cote de crédit d'Hydro-Québec en basant sa décision sur le niveau continuellement élevé du déficit budgétaire de la Province et sur l'existence de ce lien légal et financier entre Hydro-Québec et le gouvernement qui garantit sa dette. Les efforts de représentation de la direction financière d'Hydro-Québec ont, par la suite, largement contribué à mieux faire percevoir la qualité de sa position financière auprès des marchés financiers. Deux firmes importantes, Prudential-Bache Securities et Kidder, Peabody & Co., publient chacune une étude concluant que la situation financière d'Hydro-Québec mérite une meilleure appréciation que celle généralement accordée actuellement par les marchés nord-américains.

Les tarifs d'électricité d'Hydro-Québec, malgré les augmentations importantes des dernières années, demeurent toujours parmi les plus bas en Amérique du Nord. Par exemple, la facture mensuelle d'électricité pour une résidence est près de deux fois plus élevée à Chicago, plus de deux fois plus élevée à Boston et plus de quatre fois plus élevée à New York qu'au Québec. Malgré que les tarifs aient dû être augmentés pour permettre de satisfaire le second critère en payant comptant plus du quart de tous les investissements d'Hydro-Québec, ces tarifs demeurent encore suffisamment compétitifs pour qu'on puisse prévoir des ventes à l'exportation qui pourraient atteindre plus de 20% des ventes totales d'électricité d'ici trois ans. À la lumière de la récente dégringolade de la valeur des actions de plusieurs compagnies d'électricité privées, engagées dans d'importants projets nucléaires, il n'y a pas de doute que si les actions d'Hydro-Québec étaient cotées en Bourse leur performance aurait été excellente dans la conjoncture actuelle, en dépit de l'incertitude pouvant entourer la vente de ses surplus d'électricité.

Hydro-Québec, la plus grande entreprise non financière au Canada sur la base des actifs, est en excellente santé financière. Elle aurait la capacité de financer les additions d'équipements qui peuvent être décidées à l'avenir. Souhaitons que, si l'on en vient à réaliser ces projets, on rejettera, comme en 1976, la solution du financement de projet. L'hydroélectricité est certainement la ressource naturelle principale de la Province, une ressource qu'il faut développer en prenant le risque d'entreprise si l'on veut récolter les fruits de l'investissement. L'exemple de Churchill Falls devrait être présent dans la mémoire de ceux qui devront prendre ce genre de décision. À Churchill Falls, Hydro-Québec a participé à un financement de projet, apportant des fonds et une garantie d'achat de la production. Elle l'a fait en exigeant, en contrepartie, des conditions commerciales que le vendeur regrette aujourd'hui. Terre-Neuve n'avait pas vraiment le choix. Mais Québec n'est pas Terre-Neuve.

BIBLIOGRAPHIE

BANQUE DU CANADA, Rapports annuels.

DUFF and Phelps Inc., «Hydro-Québec: Fixed income rating analysis», Public Utility Research Division, Chicago, juin 1983, 21 pages.

FULLERTON, Douglas H., «The Bond Market in Canada», The Carswell Company Ltd, Toronto, 1962, 379 pages.

GIROUX, Roland, «Le financement du projet de Churchill Falls», *Forces*, numéro 57-58, pp. 78-85.

HYDRO-QUÉBEC, Documents internes.

HOGUE, Clarence, BOLDUC, André, LAROUCHE, Daniel, *Québec: un siècle d'électricité*, Libre Expression, 1979, 406 pages.

KIDDER, Peabody & Co., «Hydro-Québec: company analysis», 4 avril 1977, 180 pages; 8 novembre 1983, 302 pages.

LAFOND, Georges, «Hydro-Québec and the James Bay project: the financing strategy», Conférence présentée dans le cadre du séminaire: «Managing Public Entreprises: Strategy and Structure», University of California at Los Angeles, septembre 1981. «Financement du plan des installations», témoignage à la commission permanente de l'énergie et des ressources sur le plan d'équipement et de développement d'Hydro-Québec pour la décennie 1981-1990, *Journal des Débats*, numéro 51, pp. B-2379 à B-2382, Assemblée nationale du Québec, 24 février 1981.

LAWS, Margaret, «How Hydro-Québec electrifies the market», *Institutional Investors*, août 1983, pp. 213-214.

LEMIEUX, Edmond-A., «Hydro-Québec: Coping with Lévesque's impact on money markets», *Euromoney*, juillet 1977, pp. 40-41.

NEUFELD, E.P., *The Financial System of Canada*, 1972, Macmillan of Canada, Toronto, 645 pages.

PRUDENTIAL, Bache, «A comprehensive Analysis of Hydro-Québec», janvier 1984, 45 pages.

SRODES, James L., «Hydro-Québec — Financing in the Shadow of René Lévesque», *Euromoney*, juillet 1977, pp. 38-39.

Le rayonnement d'Hydro-Québec

Gilles-G. Cloutier, vice-président,
Technologie et affaires internationales, Hydro-Québec,
propos recueillis par Jean-Louis Fleury

Tenter de définir le rayonnement d'Hydro-Québec à l'échelle internationale ramène invariablement à l'année 1965.

Certes, l'entreprise, alors âgée de 21 ans, était déjà connue à l'étranger, où sa réputation de constructeur d'immenses barrages nordiques commençait à s'établir. Cette année-là, Hergé, le plus célèbre «bédéiste» du temps, père de Tintin et Milou, visitait les chantiers du complexe Manic-Outardes, en quête d'inspiration, tandis que Henri Vernes publiait *Terreur à la Manicouagan!* où Bob Morane vivait sa toute dernière aventure sur les bords de la grande rivière de la côte Nord.

Stimulée par les chansons des auteurs-compositeurs québécois inspirées par le boum du développement hydroélectrique, la mode en Europe était au Nord. Mais c'est surtout auprès du petit cercle des grands ingénieurs du domaine électrique que, cette année-là, Hydro-Québec allait décisivement se faire connaître en inaugurant à l'automne les premières lignes au monde de transport d'énergie à 735 kilovolts de tension.

Cette première technologique mondiale allait hisser d'emblée l'entreprise au rang des compagnies productrices et distributrices d'énergie électrique les plus prestigieuses. Et, parmi ces compagnies, Hydro-Québec n'a cessé depuis d'affirmer sa présence, grâce, principalement, à l'essor de l'institut de recherche qu'elle mettait sur pied à la fin des années 60 et aux activités de la filiale internationale qu'elle créait une dizaine d'années plus tard.

Des gestionnaires compétents et imaginatifs, des experts talentueux et des décisions audacieuses, tels furent hier les éléments clés du rayonnement international de l'entreprise et telles sont encore aujourd'hui les raisons principales de croire à la possibilité d'un brillant avenir technologique pour Hydro-Québec.

LA PREMIÈRE AVENTURE TECHNOLOGIQUE: LE 735 KV

21 septembre 1965, 13 h 43, au poste Lévis en banlieue de Québec. Les ingénieurs d'Hydro-Québec chargés des essais se congratulent: au cadran du tableau de contrôle du poste, les indicateurs se stabilisent sur le chiffre magique: la première ligne à 735 kV au monde est sous tension. Immédiatement un télégramme est envoyé à Paris, où siège la conférence internationale des grands réseaux électriques: les ingénieurs québécois viennent de faire un pas décisif dans le domaine du transport de l'énergie électrique.

La mise au point de cette nouvelle technologie n'était pas, à proprement parler, une invention, mais plutôt le résultat d'une progression de connaissances. Elle témoignait d'une certaine maturité de l'entreprise, d'une confiance assez remarquable et aussi de cette audace qui, à l'analyse, est l'une des caractéristiques les plus attachantes d'Hydro-Québec dans son approche de la communauté internationale des exploitants de réseaux électriques.

En août 1962, lorsque les membres de la Commission hydroélectrique de Québec se lancèrent dans cette aventure technologique, Hydro-Québec n'était que peu connue dans le monde de la recherche. Certes, les plus en vue de ses ingénieurs jouissaient déjà d'un certain respect personnel. Surtout, ceux-ci avaient, lors de leurs diverses activités internationales, noué des liens solides avec plusieurs ingénieurs étrangers et se tenaient, avec une curiosité, une soif de connaissances remarquable, au courant des expériences menées ailleurs dans le monde.

C'est en rassemblant ces diverses connaissances et en associant aux travaux quelques grands spécialistes étrangers que finalement les premiers projets de construction d'une ligne de transport à 735 kV avaient été conçus. Immédiatement, leur réalisation suscita énormément l'intérêt international, des entreprises européennes aux institutions soviétiques, en passant par l'industrie japonaise et, bien sûr, les grands réseaux nord-américains.

Mais, partout dans l'industrie de production et de transport d'électricité, on réalisa vite que, si l'aventure du projet 735 kV était québécoise, nombre de ses éléments sectoriels avaient été le fait des experts étrangers consultés par les ingénieurs d'Hydro-Québec. En conséquence, un grand nombre des retombées technologiques économiques de cette «première» échappèrent aux Québécois, dans la mesure où ces experts, pour la plupart européens, furent les premiers à être identifiés au succès de l'ouverture du 735 kV.

Il y eut là des bénéfices perdus, un manque à gagner réel qui n'échappèrent pas à la Commission hydroélectrique de Québec, et ce sera un des arguments majeurs qui la pousseront à souhaiter se doter de ses propres laboratoires de recherche et d'essai. Sur les conseils de Lionel Boulet, un professeur chevronné, ex-directeur du département de génie électrique de l'Université Laval, devenu conseiller technique du directeur général Robert Boyd, Hydro-Québec créait en 1967 un centre de recherche aux aspirations internationales: l'Institut de recherche en électricité du Québec.

UN PARI SUR LA RECHERCHE

Qu'on ne s'y trompe pas: cette décision des dirigeants d'Hydro-Québec était beaucoup plus hardie et hasardeuse qu'elle peut le paraître aujourd'hui. Les commissaires durent user de tout leur pouvoir de persuasion auprès des autorités politiques du temps pour faire débloquer les importants investissements nécessités par le projet. Cette somme était considérable pour une compagnie qui était une nouvelle venue dans le domaine de la recherche, et ce n'était pas l'espoir cher au commissaire Jean-Paul Gignac de développer dans le futur centre des piles à combustible pour alimenter les réseaux non reliés d'Hydro-Québec qui, à lui seul, permettait d'en imaginer un amortissement rapide.

Le pari pouvait sembler d'autant plus risqué qu'il n'était pas dans la tradition nord-américaine des services publics d'électricité de développer de tels centres. Aux États-Unis, la recherche était alors confiée par les compagnies productrices et distributrices d'énergie aux manufacturiers désireux de mettre de nouveaux produits sur le marché. Ceci est moins vrai aujourd'hui depuis la naissance de l'EPRI (Electrical Power Research Institute), mais alors, très fragmentée, la recherche américaine dans le domaine de l'électricité ne pouvait prétendre rivaliser avec les grands centres européens. En effet, c'est en Europe que se situaient les plus grands concurrents du centre de recherche planifié par Hydro-Québec; en Europe où, généralement nationalisées, ce sont les entreprises productrices et distributrices d'énergie qui, avec des moyens puissants, prenaient en charge les secteurs de recherche technologique. On pourrait, à cet égard, risquer le mot «géniale» pour qualifier la décision tout à fait originale d'Hydro-Québec. Il fallait oser!

Car on réalise aujourd'hui, à l'analyse, qu'en fait l'époque ne pouvait être plus propice à l'éclosion d'un centre de recherche internationale consacré à l'électricité en Amérique du Nord.

La fin des années 60 était une période d'euphorie scientifique. On ne soupçonnait pas encore les inconvénients et les désavantages que prêteraient à la science et à la technologie les diverses campagnes d'opinion futures. C'était avant l'avènement des préoccupations environnementales, la lutte à la pollution et la mobilisation antinucléaire. La décennie 60 était à la confiance excessive, à l'enthousiasme pour la recherche, à l'optimisme résolu plus qu'au scepticisme. La science, pensait-on, trouverait elle-même les solutions aux problèmes qu'elle créait. L'opinion mondiale était fascinée par l'exploration spatiale. On allait marcher sur la Lune. Il est évident que, mis sur pied dans ces années d'espoir et à une époque de réelle prospérité économique, l'IREQ allait tirer parti de ce contexte favorable.

Autre facteur de réussite: l'Amérique du Nord exerçait en ce temps-là un attrait très fort auprès de nombreux Européens. La recherche européenne, aussi brillante fût-elle, était alors le parent pauvre du développement dans de nombreux pays en proie à des difficultés politiques internes, et la séduction nord-américaine était très forte auprès de nombreux chercheurs, beaucoup plus forte certainement qu'elle ne l'est aujourd'hui.

Dans ces conditions, la volonté d'Hydro-Québec de créer un centre de recherche d'envergure internationale suscita immédiatement un immense intérêt dans les milieux de la recherche en électricité. D'autant que l'initiative d'Hydro-Québec ne fut pas copiée ailleurs en Amérique du Nord. Il n'y avait pas de projet équivalent aux États-Unis dans le domaine de l'électricité et de l'ingénierie de puissance. Le coût du projet,

La station d'essais à haute tension de l'IREQ dispose de trois cellules blindées, à l'épreuve des explosions, utilisées tant pour les essais directs que synthétiques. Elles ont des dimensions de 32 mètres de longueur, de 19 mètres de largeur et de 21 mètres de hauteur.

ses dimensions, les moyens mis en oeuvre, les équipements planifiés, la nature de l'engagement d'Hydro-Québec: tout cela était unique, et des savants du monde entier se rendirent compte très tôt qu'il y avait là pour eux la chance de participer à ce qui allait peut-être devenir le premier centre au monde dans le domaine de la recherche en électricité.

Car telle était dès le départ la volonté des concepteurs de l'IREQ, qui ne désiraient rien de moins que d'être les premiers au monde et qui le firent savoir, ce qui, là encore, témoigne tout de même d'un culot admirable. Les plans du laboratoire haute tension de Varennes furent conçus de façon à ce qu'il soit le plus grand laboratoire du genre. Électricité de France venait alors de construire un bâtiment du même type, et les concepteurs de l'IREQ, avec ce modèle comme référence, eurent à coeur que le Centre québécois soit — nord-américanisme oblige — plus grand, plus moderne, et que l'on puisse y faire plus. C'est ainsi que, dès l'étape de la conception sur papier de l'Institut, l'IREQ attira l'attention des grands chercheurs internationaux.

Mais l'Institut n'aurait pas joui de ce rayonnement quasi immédiat sans les remarquables talents de catalyseur de Lionel Boulet. Le fondateur de l'IREQ a ce talent tout à fait exceptionnel de pouvoir mettre des choses en place, évaluer les hommes, constituer des équipes et leur insuffler motivation et esprit de corps. Son aptitude à convaincre relève de l'art. Le travail qu'il accomplit pendant les années 1966 à 1969, alors que l'Institut ne se résumait encore qu'à quelques idées de chercheurs enthousiastes, des plans d'architectes et un chantier boueux à Varennes, peut être qualifié de génial. Non seulement avait-il réussi à «vendre» à la direction d'Hydro-Québec l'idée de construire l'IREQ, mais, dans un second temps, il parvenait à persuader certains des plus grands spécialistes au monde que cet IREQ qui n'existait pas encore deviendrait un haut lieu de la technologie internationale où ils pourraient effectuer des recherches d'intérêt mondial! Et Lionel Boulet parvint à convaincre des gens de très haut calibre, aussi bien parmi la haute direction d'Hydro-Québec, qui allait payer la note, que dans les hautes sphères difficilement accessibles de la recherche internationale.

Véritable commis-voyageur de la recherche québécoise, il alla «magasiner» sur tous les continents, recrutant la grande majorité des premiers chercheurs de l'IREQ à l'étranger, dans 20 pays différents. Et en quelques mois tous les habitants de cette tour de Babel travaillaient en français!

CET EXTRAORDINAIRE RESPECT DONT JOUIT L'IREQ

La construction de l'IREQ n'était même pas achevée que certains de ses chercheurs obtenaient leurs premiers brevets. Parmi ceux-là, un jeune ingénieur montréalais de 28 ans se signalait en mettant au point un filtre harmonique réduisant les pertes d'énergie: Toby Gilsig, aujourd'hui vice-président d'Hydro-Québec, responsable de l'Institut.

Rapidement, d'autres ingénieurs québécois vinrent se joindre au noyau de compétences initialement regroupées, et une équipe de recherche de très fort calibre fut mise sur pied. C'était là la garantie d'un excellent départ de l'IREQ dans la course internationale qu'est la recherche de haut niveau, car ce qui fait la force d'un centre du genre, ce qui l'amène à jouir d'une solide réputation mondiale, c'est avant tout la qualité de ses ressources humaines.

Il fallut ensuite «livrer la marchandise»! Curieusement, les choses allèrent plutôt meilleur train à l'étranger qu'au Québec. Outre-frontière, le calibre des chercheurs embauchés par Hydro-Québec, la puissance des

Le laboratoire Haute tension dispose d'une ligne expérimentale qui s'étend sur 300 mètres et de deux nasses d'essais pour les études sur l'effet de couronne et sur le comportement des faisceaux de conducteur jusqu'à 1 500 kV.

moyens mis à leur disposition, l'ampleur des installations et le raffinement technologique des équipements mis en place à Varennes placèrent d'emblée l'IREQ dans le peloton de tête des centres de recherche. Mais au Québec, et plus encore dans la grande famille d'Hydro-Québec, le petit dernier dut se faire accepter avant de faire reconnaître et respecter son talent.

Il faut comprendre que les ingénieurs d'Hydro-Québec, forts de leurs connaissances et de leurs réalisations, avaient leurs habitudes de travail avec les experts étrangers, qu'ils avaient coutume de consulter, et qu'ils étaient plus ou moins enthousiastes à l'idée de devoir modifier ces habitudes pour aller chercher conseil auprès de collègues n'ayant pas encore fait leurs preuves, du moins collectivement.

La modification des habitudes, le développement de méthodes de travail conjointes se sont faits graduellement. Et c'est par la compétence de ses chercheurs que l'IREQ a pu finalement se tailler une place, à côté d'abord, puis à l'intérieur de la grande Hydro-Québec, pas nécessairement en réglant des problèmes d'une envergure majeure ou en mettant au point des inventions spectaculaires, mais en trouvant des solutions à ces difficultés quotidiennes que doivent surmonter les techniciens, les ingénieurs et les gestionnaires de grands réseaux électriques. À cet égard, on

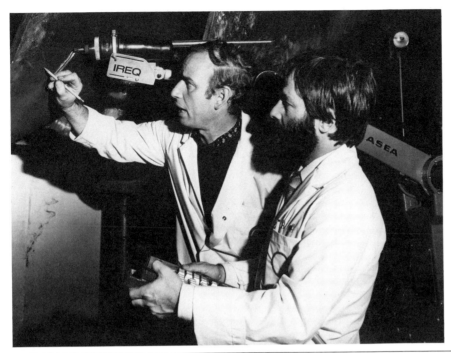

Sur le plan international, l'Institut établit rapidement sa marque. La recherche québécoise est au tout premier plan dans de nombreux secteurs du domaine électrotechnologique.

peut soutenir que ce sont les chercheurs de l'IREQ qui ont «vendu» l'Institut aux ingénieurs d'Hydro-Québec! Et les rapports se sont définitivement soudés avec la conception du projet de la Baie James, qui créa des liens et des relations serrées dans cet excellent climat de travail et de grande productivité qui préside toujours aujourd'hui aux rapports à l'intérieur d'Hydro-Québec entre les ingénieurs responsables des équipements et de l'exploitation et les chercheurs de l'IREQ.

Sur le plan international, l'Institut établit rapidement sa marque. La recherche québécoise est au tout premier plan dans de nombreux secteurs du domaine électrotechnologique. À cet égard, la multiplicité des petits contrats de recherche venant de tous les continents est très significative. Les gros contrats, dans la technologie de l'électricité, sont des phénomènes relativement épisodiques. L'REQ en a obtenu plusieurs, mais c'est surtout au nombre d'études spécialisées commandées de partout à ses chercheurs qu'on peut juger de son rôle de leader dans le domaine et de la valeur de ses spécialistes. Au bout d'une dizaine d'années d'activité, l'Institut atteignait le rythme de croisière souhaité par ses créateurs, en se consacrant à des recherches commandées par Hydro-Québec, des projets soumis par ses propres chercheurs et des contrats en provenance de compagnies étrangères. Ces contrats lui viennent en vertu de sa capacité unique d'analyse et d'essai dans certains secteurs de pointe — l'IREQ peut, dans les domaines de la haute tension, de la grande puissance, des simulateurs de réseaux à courant alternatif ou continu, ou sur ses bancs d'essai mécaniques, conduire des expériences qu'aucun autre centre de recherche ne peut faire à cette échelle —, mais aussi, et cela est très révélateur et stimulant, en vertu de la réputation personnelle de certains de ses chercheurs et de la qualité reconnue de ses équipes de recherche.

Et, finalement, c'est là la preuve la plus fondamentale de la réussite internationale de l'IREQ. En fait, le foyer du rayonnement de l'Institut à l'étranger est dans cette expérience, ce «know-how» des chercheurs de Varennes. Ce sont moins des produits que des «procédés» que l'on vient chercher à l'IREQ, moins du *hardware* que du *software*. L'Institut a des brevets, bien sûr, il en a même de plus en plus. On y a inventé l'alimentation électrique par fil de garde, des détecteurs d'acide, de nouveaux

171

alliages, de nouvelles piles, et tant d'autres choses. Mais, surtout, les compagnies étrangères consultent l'IREQ avec la certitude d'y trouver la compétence et la maturité scientifiques, convaincues de la profondeur de ses méthodes d'analyse et conscientes de cette aura de savoir technologique dans laquelle baigne l'Institut.

Les chercheurs ont développé à Varennes des logiciels de premier ordre, permettant à Hydro-Québec de sauver des millions de dollars dans la gestion de ses grands réservoirs hydrauliques. Les simulateurs de réseau qu'on y a mis au point sont des instruments d'analyse à ce point puissants qu'ils n'ont nulle part ailleurs leurs égaux.

On m'excusera, ici, d'être à ce point élogieux pour l'Institut, mais j'écris tout ceci avec d'autant plus de conviction que durant cinq ans, associé à un centre de semblable vocation en Alberta, j'ai été à même de constater, de l'extérieur, l'extraordinaire respect dont jouit l'IREQ — et, par là même, Hydro-Québec — dans le monde de la recherche internationale. Et c'est un sentiment, je le sais, que partagent tous les ingénieurs et chercheurs d'Hydro-Québec appelés à sortir du Québec lors de participations à des conférences mondiales ou de collaboration aux travaux de comités internationaux.

LA PLUS DIFFICILE ENFANCE D'HYDRO-QUÉBEC INTERNATIONAL

Quand, à la fin des années 70, une décennie après avoir mis de l'avant l'IREQ et après de longues réflexions et hésitations, Hydro-Québec décida de créer sa filiale internationale, l'entreprise était avantageusement connue dans le monde, autant pour ses activités de recherche que pour ses diverses autres réalisations. Bersimis, Manic, les lignes de transport de Churchill Falls, Baie James: depuis plus de 20 ans, le monde de l'hydroélectricité suivait avec intérêt les diverses étapes du développement soutenu de l'exploitation de la houille blanche québécoise.

Avec un sens de l'hospitalité spontané, associé à une stratégie de communication internationale et de coopération à l'efficacité remarquable, l'entreprise sut orchestrer un peu partout dans le monde un battage flatteur autour de ses réalisations. Pendant ces 20 ans, de véritables escadrilles d'avions nolisés ne cessèrent de pourvoir, sur tous les chantiers nordiques, au défilé de stagiaires, de coopérants, de journalistes, d'investisseurs, d'hommes d'affaires, d'ingénieurs, de politiciens et d'artistes. Qui comptera le nombre de photos tirées sur les chantiers par ces messieurs strictement costumés et casqués de blanc sous l'oeil devenu indifférent des ouvriers du Nord!

De longue date, Hydro-Québec, par son service Relations avec l'étranger, mettait à la disposition de compagnies étrangères toute une gamme de services afin de mieux faire connaître notre savoir-faire et de venir en aide à des pays en voie de développement. L'intérêt de ces formules de coopération est multiple. Certains des ingénieurs étrangers qu'Hydro-Québec a ainsi contribué à former sont devenus des cadres clés dans leur pays d'origine, qui, aujourd'hui, connaissent et respectent l'entreprise et savent pouvoir y trouver conseil et aide.

De plus, d'autres accords de coopération ont permis à Hydro-Québec de faire compléter la formation de certains de ses ingénieurs ailleurs à l'étranger. Et cela est une autre facette importante de l'activité internationale d'Hydro-Québec, qui a toujours jugé très utile de garder des contacts avec le monde extérieur. Ce fut, là encore, particulièrement le cas avec l'IREQ puisque cette ouverture sur le monde est une des premières caractéristiques de la recherche scientifique, dont la dimension est d'emblée internationale. Il faut qu'ingénieurs et chercheurs soient, en

tout temps, prêts à communiquer, à discuter avec des gens à l'extérieur de leur laboratoire, à se déplacer, à publier, à interroger d'autres chercheurs et à se faire interroger. Cela se fait par des écrits, des voyages, des exposés à des congrès, des visites, des participations à des organismes internationaux. Et Hydro-Québec a toujours eu une attitude très ouverte envers son personnel à ce chapitre.

Des contrats en bonne et due forme avec l'étranger, Hydro-Québec en avait déjà donc eu quelques-uns avant la création d'Hydro-Québec International, mais, en fait, le génie-conseil québécois, et, dans une certaine mesure, canadien, avait tiré jusque-là le meilleur parti du renom à l'étranger des réalisations hydroélectriques du Québec auquel il avait participé.

Il faut savoir que l'histoire d'Hydro-Québec, et particulièrement de ses secteurs de génie et de construction, est absolument indissociable de celle des grands bureaux d'ingénieurs-conseils du Québec. Il a, de tout temps, existé une espèce de partage des activités entre les ingénieurs de l'entreprise d'État et ceux du secteur privé. Les travaux d'avant-projets, les travaux conceptuels de construction de barrages et de centrales sont en général réalisés par Hydro-Québec, alors que l'ingénierie proprement dite des projets et la surveillance des travaux pour ce type d'équipement sont assurées par les ingénieurs-conseils. De même, conception et ingénierie des postes sont traditionnellement faites par Hydro-Québec, alors que le travail d'ingénierie des lignes est partagé entre l'entreprise et ses partenaires. Ainsi, par cette façon de développer ses projets, Hydro-Québec a permis au génie-conseil québécois d'acquérir une expertise unique et de se faire avantageusement connaître sur les marchés internationaux.

Il ne faut pas se cacher que, dans ce contexte, la décision d'Hydro-Québec d'oser, comme les plus grands, créer une filiale internationale a, dans un premier temps, suscité beaucoup de craintes chez les ingénieurs-conseils, peu attirés par la nécessité de partager des places durement acquises sur le très compétitif terrain du génie-conseil dans les pays en voie de développement. Il s'agissait donc, pour Hydro-Québec International, perçu comme un nouveau concurrent, de se faire accepter par ses amis d'hier, devenus soudainement méfiants, et de démontrer qu'en définitive il était de l'intérêt de tout un chacun et du Québec en général

Le calibre des chercheurs embauchés par Hydro-Québec, l'ampleur des installations et le raffinement technologique des équipements mis en place à Varennes placèrent d'emblée l'IREQ dans le peloton de tête des centres de recherche.

qu'Hydro-Québec soit active au plan international. Cela n'a pas été sans heurts, et il est intéressant de comparer ces difficultés vécues par Hydro-Québec International vis-à-vis du génie-conseil québécois à celles connues, à ses premières années d'existence, par l'IREQ vis-à-vis d'Hydro-Québec...

Comme l'IREQ, il a fallu qu'Hydro-Québec International «vende» sa présence au reste de l'ingénierie québécoise, et ce défi a été relevé. Certes, la filiale n'a pas encore atteint la rentabilité financière que l'on pourrait souhaiter. Mais si l'on place son activité dans une perspective plus globale incluant l'ensemble des retombées des projets sur l'économie québécoise, le génie-conseil et le secteur manufacturier, les résultats sont alors très encourageants. Hydro-Québec International a maintenant réussi à se tailler une place complémentaire de celle des bureaux du secteur privé grâce à son expertise unique, particulièrement dans la conception, l'exploitation et l'entretien des réseaux électriques à très haute tension et dans les autres domaines qui sont le propre d'une entreprise exploitante: planification, exploitation et entretien des équipements, gestion, service à la clientèle, tarification, commercialisation, services financiers, etc.

LE RAYONNEMENT D'HYDRO-QUÉBEC

Et voici 1984! Hydro-Québec a déjà quarante ans d'histoire! Presque 20 ans se sont écoulés depuis l'avènement du 735 kV, ce coup d'éclat des années 60! Aujourd'hui, avec la maturité de la quarantaine, dans une décennie au caractère économique et social complètement nouveau, marqué par le virage à l'austérité des années 80, un contexte énergétique rendu beaucoup plus difficile par la concurrence autant interne qu'externe et les divers effets de la récession économique canadienne et internationale, Hydro-Québec redéfinit ses orientations. L'entreprise se trouve à ce point de son histoire où, à la lumière d'une déjà longue expérience, mais avec des hommes nouveaux et une volonté réaffirmée de contrôler son avenir et de poursuivre sur la voie de la réussite, elle doit lutter pour préserver ses positions, et, même, les améliorer.

Hydro-Québec a bien des atouts: ses racines, ses traditions, ses réalisations, sa réputation, son expérience. Elle est consciente des embûches. Elle sait que l'ère des grandes constructions spectaculaires est passée. Elle connaît les défis qu'il lui faut affronter en termes de ventes, de promotion, de service aux consommateurs. Et puis elle bénéficie de ce rayonnement aussi bien national qu'international.

Alors, que faire? L'écueil serait, compte tenu de ce qu'Hydro-Québec est, qu'elle s'arrête, qu'elle vive sur l'acquis, qu'elle attende. La prudence n'est pas du génie d'Hydro-Québec: la direction de l'entreprise a décidé d'aller de l'avant et pense que la technologie peut lui permettre de se tailler des places de choix sur les marchés internationaux.

La direction d'Hydro-Québec a aujourd'hui la conviction profonde qu'il suffit que l'entreprise le veuille vraiment, qu'elle y consacre toutes ses volontés, pour qu'elle s'impose dans de nouveaux secteurs de la technologie internationale, et elle a l'intention d'y consacrer ses énergies. Est-elle trop optimiste? Je suis l'un de ceux qui pensent que non et qui croient avec détermination que tout est possible à Hydro-Québec. J'évalue nos points forts: la compétence et l'expérience de nos ressources humaines, l'importance de nos ressources financières, l'avantage naturel que nous procure notre vaste système de production d'énergie électrique, la clarté de notre mission, notre créativité, notre imagination et cette audace dont je ne cesse de parler... Je crois vraiment que nous avons cette capacité de devenir des têtes de file internationales dans plusieurs domaines.

Je pense ainsi à l'utilisation de l'énergie électrique. J'ai la conviction qu'Hydro-Québec peut jouer un rôle de tout premier plan à l'échelle mondiale dans la conversion des industries à l'électricité. L'entreprise était jusqu'ici reconnue pour sa capacité technologique en termes de production et de transport d'énergie. Je la vois à court terme devenue leader mondial dans ce champ de la recherche de nouvelles applications de l'électricité.

Je vois également une autre voie à l'essor de notre rayonnement international dans le domaine de l'exploitation des réseaux de transport et surtout de distribution. Je nous sais aptes à parvenir à des développements technologiques majeurs liés à l'application, dans ces secteurs d'activité, de l'informatique, de la micro-électronique et de la robotique. Nous sommes déjà bien engagés dans ce type de recherche. L'important pour nous est de bien connaître nos champs d'intervention, nos seuils de compétence, pour définir les créneaux où nos actions seront déterminantes. Ce n'est pas nous qui allons développer la micro-électronique, la science des ordinateurs, ni celle des microprocesseurs ou des robots. Mais c'est grâce à l'application de ces technologies dans le secteur des grands réseaux électriques que les résultats de nos recherches peuvent être d'une importance majeure. Nos compétences dans ce domaine sont internationalement reconnues et donc les innovations et développements technologiques que nous mettrions au point pourraient être immédiatement en vue et entraîner des retombées pour l'ensemble des réseaux mondiaux, nos clients potentiels. Il nous faudra choisir des partenaires, faire des associations avec l'industrie privée afin de nous assurer d'une position concurrentielle sur le plan international. Ainsi pourrons-nous donner une chance à l'industrie d'ici de commercialiser ces découvertes et applications diverses à l'échelle internationale avec des effets d'entraînement importants sur l'ensemble de l'économie québécoise, ce qui, au fond, est la vocation de tout effort majeur de recherche.

Enfin, l'avenir d'un autre secteur me paraît très riche pour Hydro-Québec: il s'agit de l'intégration de la technologie dans les systèmes humains. Il se peut que j'aie tort, mais j'estime que la nature de notre culture québécoise dans le milieu nord-américain nous prédispose à jouer un rôle unique dans la détermination des liens denses et nombreux qu'il va falloir serrer entre les sciences humaines et la technologie. Je suis persuadé que la dimension humaine va devoir prendre de plus en plus d'importance dans la conception, l'introduction et l'utilisation de la nouvelle génération technologique, et je prétends que le Québec s'est intéressé aux sciences humaines depuis plus longtemps que le reste du pays. Et même si les Européens nous dépassent dans certains de ces domaines, je crois en notre avantage de vivre en Amérique du Nord où la mentalité technologique est différente et plus ouverte au changement.

Alors, quels seront ces nécessaires changements, je ne peux le savoir de façon précise, mais une des principales forces des bons chercheurs réside dans leur intuition. J'ai des idées et d'autres que moi en ont à Hydro-Québec et je nous vois potentiellement l'opportunité de faire, là également, notre marque à l'échelle internationale.

C'est en mesurant dans dix ou quinze ans la pénétration de notre technologie, non plus seulement dans des pays à faible compétence scientifique, mais dans ces autres châteaux forts de la recherche que sont les pays européens, les États-Unis et le Japon que nous pourrons évaluer notre rayonnement, notre réussite. C'est là qu'est notre vrai défi international pour l'avenir. Et j'ai la conviction profonde qu'Hydro-Québec peut le relever. Elle a pour cela l'acquis technologique, le talent et... l'audace nécessaires.

LG-2. Le réservoir de LG-2 contient
61,7 milliards de mètres cubes d'eau.
Sa superficie est de 2 835 km².

LG-3. *Le barrage s'allonge de part en part de La Grande Rivière afin de former un réservoir de 2 460 km².*

LG-4. La centrale de 2650 MW est assise dans le roc au pied du barrage.

«Les 100 000 hommes et femmes qui ont travaillé à la Baie James vont garder longtemps le souvenir d'une force de travail incroyable, d'une solidarité exceptionnelle, le souvenir aussi des amitiés, des amours, des fêtes, des drames, enfin de toutes les manifestations d'une collectivité généreuse.»
*Roger Lacasse
Baie James: une épopée*

1897 Fondation de Shawinigan Water and Power Company.

1901 Création de Montreal Light, Heat and Power Company par la fusion de Montreal Gas Company (fondée en 1847) et de Royal Electric Company (fondée en 1884).

1916 Création de Civic Investment and Industrial Company qui deviendra, deux ans plus tard, Montreal Light, Heat and Power Consolidated.

1935 Mise sur pied de la Commission Lapointe qui a pour mandat d'enquêter sur les pratiques et les tarifs des distributeurs d'électricité privés du Québec.

14 avril 1944 À la fermeture de la Bourse, en ce vendredi après-midi, le gouvernement du Québec adopte la Loi établissant la Commission hydroélectrique de Québec (8 Geo. VI, c. 22), connue à l'époque sous le nom de Loi 17. La loi, qui prend effet à minuit, crée la Commission hydroélectrique de Québec, Hydro-Québec en abrégé. Sont officiellement nommés: le président, T.-Damien Bouchard, et les commissaires, John W. McCammon, Raymond Latreille, George C. McDonald et L.-Eugène Potvin. Quelques mois plus tard, L.-Eugène Potvin succédera à T.-Damien Bouchard et J.-Arthur Savoie sera nommé commissaire.

15 avril 1944 À 10 heures de l'avant-midi, les commissaires nommés la veille procèdent à la prise de possession des biens de Montreal Light, Heat and Power Consolidated: Hydro-Québec est dotée d'installations d'électricité et de gaz.

Mai 1944 La Commission hydroélectrique annonce une diminution d'environ 13% des tarifs de l'électricité pour usage domestique et commercial, et de 30% des tarifs d'éclairage de rue.

1947 Une nouvelle diminution de 10% est consentie pour le tarif commercial.
Hydro-Québec effectue un emprunt de 112 225 000 $ pour dédommager les actionnaires de Montreal Light, Heat and Power Consolidated. Le règlement définitif de deux filiales, Beauharnois Light, Heat and Power Company et Montreal Island Power Company, n'interviendra qu'en 1953, après un long arbitrage.

1950 Acquisition de la centrale de Rapide 7 en Abitibi et du réseau alimenté par cette centrale. Aménagée en 1941 par le gouvernement du Québec, elle était administrée par Hydro-Québec depuis 1944.

1953 Début des travaux d'aménagement de la rivière Bersimis, sur la côte Nord.

1955 Deux autres régions sont reliées au réseau d'Hydro-Québec: la Gaspésie et la région minière de Chibougamau.
J.-Arthur Savoie assume la présidence de la Commission hydroélectrique de Québec et les commissaires sont Léonard Préfontaine, René Dupuis, Raymond Latreille et John W. McCammon.

1956 Mise en service des premiers groupes de la centrale de Bersimis 1 et d'une ligne de transport à 315 kilovolts entre cette centrale et Québec.

1957 Hydro-Québec vend son réseau montréalais de distribution de gaz à la Corporation de gaz naturel du Québec, qui deviendra plus tard Gaz Métropolitain Inc.

1958 British Newfoundland Company, fondée en 1953, crée une filiale, Hamilton Falls Power Corporation (HFPCo), et lui cède ses droits sur la partie supérieure de la rivière Hamilton, qui comprend les chutes Hamilton.

1959   Début des travaux d'aménagement des rivières Manicouagan et aux Outardes.

Début des travaux de construction de la centrale de Carillon sur la rivière des Outaouais.

1960   L'aménagement de la rivière Bersimis est terminé.

Jean-Claude Lessard remplace J.-Arthur Savoie à la présidence de la Commission et les commissaires sont Léonard Préfontaine, René Dupuis, Raymond Latreille et Louis O'Sullivan.

1961   La centrale de Beauharnois est parachevée. La construction avait débuté en 1929, en pleine crise économique. Après des travaux d'agrandissement effectués en trois étapes, la centrale compte 36 groupes d'une puissance installée de 1 574 mégawatts à l'époque, et fournit alors 9,6% de l'énergie hydroélectrique produite au Canada.

René Dupuis et Léonard Préfontaine prennent leur retraite. Le gouvernement désigne deux nouveaux commissaires: Jean-Paul Gignac et Georges Gauvreau.

1962   Inauguration du nouveau siège social d'Hydro-Québec, à Montréal.

Shawinigan Water and Power Company adopte une raison sociale française parallèle à l'anglaise, soit la Compagnie d'électricité Shawinigan.

À l'automne, tenue d'une élection générale au Québec, dont l'enjeu porte sur l'acquisition par Hydro-Québec des compagnies de production et de distribution d'électricité privées. En réélisant Jean Lesage et le Parti libéral, l'électorat manifeste son approbation à la nationalisation de l'électricité.

1963   Acquisition, par un achat de gré à gré, de 10 nouvelles compagnies d'électricité privées: Shawinigan Water and Power Company, la Compagnie Québec Power, Southern Canada Power Company, Gatineau Power Company, la Compagnie de Pouvoir du Bas-Saint-Laurent, la Compagnie électrique du Saguenay, Northern Quebec Power Company, la Compagnie électrique de Mont-Laurier, la Compagnie électrique de Ferme-Neuve et la Compagnie de Pouvoir LaSarre. Par l'acquisition de Shawinigan Water and Power Company, Hydro-Québec devient propriétaire de 20% des actions de Hamilton Falls Power Corporation. Par la suite, Hydro-Québec achètera 45 des 46 coopératives d'électricité qui avaient été formées avec la contribution de l'Office de l'électrification rurale, ainsi qu'une série de réseaux privés ou municipaux, à la suite de négociations avec chacun des organismes concernés.

Afin de rembourser les actionnaires des compagnies acquises, Hydro-Québec vend pour 300 millions de dollars américains d'obligations portant intérêt à 5,17% et venant à échéance 25 ans plus tard.

Dès l'automne 1963, la plupart des tarifs d'électricité sont abaissés à des niveaux sensiblement égaux à ceux en vigueur à Montréal. La réforme tarifaire qui se poursuivra durant plusieurs années permettra d'unifier les quelque 85 tarifs domestiques et 80 tarifs d'usage général à travers la province.

1964   La centrale de Carillon est parachevée. Située sur la rivière des Outaouais, cette centrale est conçue pour répondre aux besoins des périodes de pointe. L'eau accumulée grâce à son évacuateur de crue peut faire tourner les 14 groupes générateurs totalisant une puissance installée de 654 mégawatts, puissance beaucoup plus importante que n'en aurait eue une centrale au fil de l'eau classique.

Le réseau de l'Abitibi est converti de 25 à 60 hertz.

Adoption du symbole d'Hydro-Québec: un orbe duquel se dégage l'énergie électrique symbolisée par un trait dentelé.

Le nom des chutes Hamilton est changé en celui de chutes Churchill, à la mémoire de Winston Churchill qui vient de décéder. La filiale de la BRINCO s'appellera désormais Churchill Falls (Labrador) Corporation (CFLCo).

Les ingénieurs d'Hydro-Québec fondent le Syndicat professionnel des ingénieurs d'Hydro-Québec (SPIHQ). Toutefois, il faudra deux ans de négociations pour que les parties patronale et syndicale signent une première convention collective et que le SPIHQ obtienne la reconnaissance syndicale.

L'uniformisation des achats à travers l'entreprise amène Hydro-Québec à établir une politique d'achat préférentiel favorisant le développement économique du Québec, particulièrement l'industrie de l'appareillage électrique.

1965   Inauguration de la première ligne de transport à 735 kilovolts — la plus haute tension utilisée jusque-là dans le monde —, reliant le poste Manicouagan au poste Lévis.

Le territoire est divisé en 10 régions administratives et toutes les structures sont réorganisées pour uniformiser et améliorer les méthodes d'exploitation.

1966   Début des travaux de construction de la centrale nucléaire de Gentilly 1.

La centrale de Shawinigan 2, construite en 1911 par Shawinigan Water and Power Company, devient la première du réseau à être exploitée par télécommande.

Signature d'une lettre d'entente sur l'achat de l'énergie des chutes Churchill.

Après de longs affrontements, les 33 unités de négociation avec lesquelles Hydro-Québec s'est retrouvée en 1963 sont fusionnées en trois: celles des techniciens, des employés de bureau et des employés de métiers.

1967   Création de l'Institut de recherche en électricité du Québec (IREQ), qui deviendra plus tard l'Institut de recherche d'Hydro-Québec. La mission de l'IREQ est de répondre aux besoins techniques de l'entreprise et d'assurer la base technique et scientifique nécessaire à son développement.

Parachèvement des centrales de Manic 2 et de Manic 1. Le barrage de Manic 2 constitue une première mondiale: c'est le barrage-poids à joints évidés le plus grand de ce genre au monde.

Création, par Hydro-Québec, de la revue *Forces* dont la mission est de faire connaître à l'étranger la vie économique, scientifique, technologique et intellectuelle du Québec.

Hydro-Québec annonce une hausse des tarifs, la première depuis 1944. À compter de 1970, l'éloignement de plus en plus grand des sites à aménager et les poussées inflationnistes forceront Hydro-Québec à décréter annuellement des hausses de tarifs.

1968   Inauguration de la centrale thermique de Tracy.

Inauguration du barrage de Manic 5, le plus imposant barrage à voûtes multiples et contreforts au monde. À l'origine, il devait être baptisé barrage Duplessis. Il fut appelé barrage Daniel-Johnson, en mémoire du Premier ministre décédé subitement à Manic 5 quelques heures avant la cérémonie d'inauguration du barrage.

1969 Signature d'un contrat avec Churchill Falls (Labrador) Corporation (CFLCo), qui assure à Hydro-Québec, pour une période de 65 ans, presque toute la production de la centrale de 5 225 mégawatts.

Succédant à Jean-Claude Lessard, Roland Giroux, commissaire depuis 1966, devient président de la Commission, dont les autres membres sont Paul Dozois, Georges Gauvreau, Robert A. Boyd et Yvon DeGuise.

1971 Le 30 avril, Robert Bourassa annonce le «projet du siècle»: l'aménagement hydroélectrique du bassin de la Baie James.

Le 14 juillet, adoption du projet de loi 50: création de la Société de développement de la Baie James (SDBJ) et de la Société d'énergie de la Baie James (SEBJ). Ces sociétés d'État sont respectivement responsables de la mise en valeur des richesses naturelles et de l'aménagement des ressources hydroélectriques du territoire de la Baie James.

Lancement d'une campagne publicitaire conçue autour du slogan «On est 12 012 pour assurer votre confort». Cette campagne, qui se poursuivra jusqu'à la fin de 1972, vise à montrer de l'entreprise une image humaine, chaleureuse et vivante, et à présenter tous les services offerts par Hydro-Québec.

1972 Inauguration de la centrale de Churchill Falls et première livraison d'électricité au réseau d'Hydro-Québec.

Début des travaux d'aménagement de La Grande Rivière, à la Baie James. Les centrales de La Grande 2, La Grande 3 et La Grande 4, qui font partie de la phase 1 du complexe, ajouteront plus de 10 000 mégawatts à la puissance installée d'Hydro-Québec.

La campagne publicitaire d'Hydro-Québec se poursuit sur un thème connexe au premier: «On est propre, propre, propre», qui reflète des préoccupations de mise en marché et de protection de l'environnement.

1973 Mise en chantier de la centrale nucléaire de Gentilly 2.

Signature d'un contrat avec Power Authority of the State of New York (PASNY), qui permettra à Hydro-Québec d'établir sa première grande ligne d'interconnexion avec les États-Unis et d'exporter les excédents d'énergie dont elle dispose pendant les mois d'été.

La campagne publicitaire «On est hydroquébécois» voit le jour. Elle sera prématurément interrompue par la première crise du pétrole.

1975 La réforme tarifaire entreprise en 1963 atteint son point culminant, alors que le gouvernement approuve une refonte du règlement. Désormais, un seul tarif s'applique aux abonnés domestiques de toute la province et il en va de même pour le tarif d'usage général.

1976 Mise en service de la centrale de Manic 3. Sous le barrage, le mur d'étanchéité plonge à plus de 130 mètres de profondeur, ce qui en fait le plus profond du genre au monde.

Hydro-Québec emprunte un milliard de dollars sur le marché américain, ce qui constitue un des plus importants placements privés jamais effectués.

1977 Roland Giroux quitte son poste et Robert A. Boyd est nommé président de la Commission. Sont commissaires Edmond-A. Lemieux, Paul Dozois, Georges Gauvreau et Guy Monty.

1978 Loi modifiant la Loi d'Hydro-Québec et la Loi du développement de la région de la Baie James (L.Q. 1978, c. 41, connue à l'époque sous le nom de Loi 41). Sanctionnée le 13 juin, cette loi remplace la Commission hydroélectrique par un conseil d'administration de 11 membres qui doit gérer Hydro-Québec et la SEBJ, laquelle devient filiale à part entière d'Hydro-Québec. Le président du conseil est Lucien Saulnier et les membres en sont: Robert A. Boyd (président-directeur général d'Hydro-Québec), Nicolle Forget, Georges Gauvreau, Roland Giroux, Hervé Hébert, Pierre Laferrière, Claude Laliberté (président-directeur général de SEBJ, Guy Monty (pdg de HQI), Claude Roquet et André Thibodeau. La Loi 41 crée aussi Hydro-Québec International (HQI), filiale chargée d'exporter à travers le monde le savoir-faire d'Hydro-Québec. Hydro-Québec obtient un crédit bancaire pour un montant de 1,25 milliard de dollars américains. L'inauguration de la centrale d'Outardes 2 met fin à l'aménagement du complexe Manic-Outardes, qui comprend sept centrales.

Mise en service de la première grande ligne d'interconnexion avec les États-Unis. Il s'agit d'une ligne à 765 kilovolts reliant les réseaux d'Hydro-Québec et de PASNY.

1979   Parachèvement de la première ligne de transport à 735 kilovolts du complexe de La Grande Rivière et mise en service des premiers groupes de la centrale de La Grande 2. Cette dernière deviendra la plus puissante centrale hydroélectrique du Canada (5 328 mégawatts). Le réseau de transport à haute tension, reliant le complexe à la région de Montréal, comportera ultimement cinq lignes totalisant 5 418 kilomètres de circuits.

À l'occasion de l'inauguration de la centrale de La Grande 2, parution d'un numéro spécial de la revue *Forces* et lancement du livre *Québec, un siècle d'électricité* qui relate la genèse d'Hydro-Québec et décrit les étapes les plus marquantes de son évolution.

1980   En décembre, l'Assemblée législative de Terre-Neuve adopte une loi intitulée «The Upper Churchill Water Rights Reversion Act», laquelle sera déclarée *intra vires* par la Cour d'appel de Terre-Neuve en mars 1982. Hydro-Québec interjettera appel de ce jugement à la Cour suprême du Canada.

Après avoir occupé divers postes dans l'entreprise depuis 31 ans, Joseph Bourbeau remplace Lucien Saulnier à la présidence du Conseil d'administration d'Hydro-Québec.

1981   Loi modifiant la Loi sur Hydro-Québec (L.Q. 1981, c. 18, connue à l'origine sous le nom de Loi 16). Sanctionnée le 19 décembre, cette loi modifie le statut juridique et la structure financière d'Hydro-Québec: elle la transforme en compagnie à fonds social et lui indique les critères qu'elle doit respecter pour satisfaire aux exigences des marchés financiers. De plus, elle lui donne la possibilité de mettre en oeuvre des programmes d'économie d'énergie.

Lancement d'Énergain Québec, programme d'amélioration énergétique des habitations du Québec, et mise sur pied de différents programmes d'économie d'énergie.

1982   Signature d'un nouveau contrat avec PASNY pour une vente d'électricité s'échelonnant sur 13 ans à compter de 1984.

Inauguration du Centre de conduite du réseau. Comptant parmi les plus modernes au monde, ce centre possède un système informatique qui permet d'effectuer la gestion en temps réel de la production et d'optimiser la conduite du réseau de transport d'Hydro-Québec. Toujours dans le cadre du programme d'automatisation du réseau, cette année marque aussi le début des travaux de réalisation de neuf centres d'exploitation régionaux informatisés.

Mise en exploitation d'une éolienne de 230 kilovolts rattachée au réseau des îles de la Madeleine.

Mise sur pied du Programme de subvention pour l'installation du chauffage bi-énergie dans les habitations. Il s'agit du premier d'une série de programmes commerciaux qui consistent essentiellement à fournir aux consommateurs une assistance technique et une aide financière pour l'achat de nouveaux équipements, aide assortie très souvent d'incitations tarifaires.

1983 Guy Coulombe succède à Robert A. Boyd comme président-directeur général d'Hydro-Québec.

Loi modifiant la Loi sur Hydro-Québec et la Loi sur l'exportation de l'énergie électrique (L.Q. 1983, c. 15, connue sous le nom de Loi 4). Sanctionnée le 22 juin, cette loi modifie le mandat d'Hydro-Québec et porte à un maximum de 17 le nombre de membres composant son Conseil d'administration. Ce nouveau mandat lui permet dorénavant d'exporter de l'électricité régulière et d'oeuvrer dans tout domaine connexe ou relié à l'énergie.

Mise en service de la centrale nucléaire de Gentilly 2.

Signature d'une convention d'interconnexion avec New England Power Pool (NEPOOL) et d'un contrat de vente d'énergie excédentaire, assortis d'une convention de stockage d'énergie constituant une primeur à Hydro-Québec.

Mise sur pied de deux autres programmes commerciaux d'assistance technique et d'incitation tarifaire: le programme d'électrification des chaudières industrielles et le programme de rabais tarifaires aux entreprises effectuant des travaux d'investissements.

Fin des travaux de construction, au poste Châteauguay, du redresseur-onduleur qui augmentera les possibilités de livraison simultanée d'énergie à l'Ontario et aux États-Unis.

La Cour suprême du Canada, à la demande des parties, consent à surseoir jusqu'en décembre à sa décision en ce qui a trait au «Upper Churchill Water Rights Reversion Act». Une seconde demande amènera alors la Cour suprême à repousser l'échéance à mars 1984. Le Québec engage des négociations avec Terre-Neuve sur le litige qui les oppose.

Le conseil d'administration d'Hydro-Québec, présidé par Joseph Bourbeau, comprend Gérald Aubin, Dian Cohen, Guy Coulombe (président-directeur général d'Hydro-Québec), Paul Couture, Kevin Drummond, Jean-Louis Dulac, Nicolle Forget, Pierre Goyette, Hervé Hébert, Guy Joron, Pierre Laferrière, Pierre Leblanc, Claire Léger, Antoine Rousseau, Raymond Royer et Jean-Paul Gignac.

1984 Au cours de l'année, deux événements font disparaître certains vestiges de la nationalisation de 1963-1964. D'une part, la revalorisation des rentes des employés nationalisés réduit l'écart qui les séparait de celles des employés ayant toujours été au service d'Hydro-Québec. D'autre part, Hydro-Québec rembourse la dernière émission d'obligations effectuée par les compagnies acquises. Toutefois, l'emprunt effectué en 1963 pour rembourser les actionnaires ne s'éteindra qu'en 1988.

Février 1984 Le règlement 344 de la Loi d'Hydro-Québec, adopté par décret ministériel, permet au conseil d'administration de former un conseil exécutif et des comités chargés de le conseiller sur divers dossiers. Les comités formés sont ceux des Affaires commerciales, des Finances, des Ressources humaines et de la Technologie, en plus de celui de la Vérification qui existait depuis 1980. Le programme bi-énergie est élargi aux immeubles d'habitation collective et aux institutions.

Mars 1984 — Signature d'une lettre d'entente avec Vermont Department of Public Service. Cette entente prévoit une vente d'électricité s'étendant sur 10 ans à compter de 1985 et une convention d'interconnexion qui permettra aux deux parties d'effectuer d'autres échanges avantageux.

Lancement d'une campagne publicitaire portant la signature «L'électrifficacité» et conçue autour de la thématique suivante: «Tout bien calculé, l'électricité ça nous sert mieux». Cette campagne, sans encourager la surconsommation d'énergie, vise à augmenter les ventes d'électricité aux dépens de celles des produits pétroliers.

Mai 1984 — Le conseil d'administration d'Hydro-Québec, présidé par Joseph Bourbeau, comprend Gérald Aubin, Dian Cohen, Guy Coulombe (président-directeur général d'Hydro-Québec), Paul Couture, Kevin Drummond, Jean-Louis Dulac, Nicolle Forget, Pierre Goyette, Hervé Hébert, Guy Joron, Pierre Laferrière, Pierre Leblanc, Claire Léger, Antoine Rousseau, Raymond Royer et Jean-Paul Gignac.

Par un jugement unanime, la Cour supérieure du Canada déclare que le «Reversion Act» est *ultra vires* des pouvoirs de Terre-Neuve et qu'il porte atteinte aux droits d'Hydro-Québec.

LE LANGAGE DES CHIFFRES
HYDRO-QUÉBEC 1983

HYDRO-QUÉBEC EN REGARD
DE GRANDES ENTREPRISES CANADIENNES (1983)

	Actif (en millions de $CAN)	Revenus des ventes ou revenus d'exploitation (en millions de $CAN)	Bénéfice net (en millions de $CAN)
Hydro-Québec	25 199	3 656	707
Alcan Aluminium Ltée*	8 213	6 602	91
Bell Canada	14 940	8 875	830
Canadien Pacifique Ltée	17 602	12 759	144
Chemins de fer nationaux du Canada	6 790	4 625	212
Compagnie Pétrolière Impériale Ltée	8 049	9 027	332
Ford du Canada Limitée	2 257	8 581	153
Gulf Canada Ltée	5 112	5 078	218
Ontario Hydro	23 200	3 805	472
Shell Canada Limitée	5 240	5 300	154
TransCanada Pipelines Ltée	5 035	3 471	228

*Chiffres convertis en dollars canadiens, au taux de change du 31-12-83 (1 $US = 1,2444 $CAN).
Source: Rapports annuels des entreprises.

HYDRO-QUÉBEC EN REGARD DE GRANDES
ENTREPRISES DE SERVICE PUBLIC AUX ÉTATS-UNIS (1983)

	Rang	Bénéfice net (en millions $US)	Rang	Revenus d'exploitation (en millions $US)
American Telephone & Telegraph	1	5 746,6	1	69 403,1
General Telephone & Electronics	2	978,0	2	12 943,9
Commonwealth Edison	3	802,2	8	4 634,0
Pacific Gas & Electric	4	788,0	3	6 646,7
Southern	5	697,6	5	5 418,0
Southern California Edison	6	690,8	11	4 464,3
Consolidated Edison Co. of New York	7	575,8	4	5 515,6
Hydro-Québec	8	568,1*	25	2 938,0**
American Electric Power	9	534,4	12	4 367,9
Texas Utilities	10	513,1	18	3 487,9

*707 millions $CAN, au taux de change du 31-12-83 (1 $US = 1,2444 $CAN).
**3 656 millions $CAN, au taux de change du 31-12-83.
Source: Rapport annuel 1983 d'Hydro-Québec;
Business Week, March 21, 1984, *Corporate Scoreboard*.

LE LANGAGE DES CHIFFRES
HYDRO-QUÉBEC, 1944-1983

ANNÉE	ACTIF	DETTE À LONG TERME	AVOIR PROPRE[1] (en millions $)	INVESTIS-SEMENTS	REVENUS DES VENTES	AUG. MOYENNE DES TARIFS EN %	REVENUS NETS (en millions $)
1944	196	169	18	1	23	- 13%	9
1945	205	160	34	1	27	nil	13
1946	205	131	23	2	28	nil	11
1947	297	190	26	5	30	nil	13
1948	310 e	185	30	12	32	nil	15
1949	332	208	34	28	35	nil	15
1950	344	206	39	50	39	nil	14
1951	348	193	51	31	44	nil	20
1952	411	234	67	38	47	nil	24
1953	420 e	230	88	64	51	nil	26
1954	431	297	112	89	54	nil	25
1955	504	328	139	98	59	nil	31
1956	626	428	167	107	67	nil	31
1957	699	463	207	133	74	nil	26
1958	935	566	237	133	81	nil	30
1959	1 062	641	265	94	88	nil	34
1960	1 150	682	282	114	97	nil	26
1961	1 129**	773	313	139	105	nil	33
1962	1 239	853	347	151	113	nil	35
1963*	2 050	1 409	391	193	202	- 3,0%	44
1964	2 351	1 719	450	320	270	nil	59
1965	2 593	1 804	507	315	289	nil	57
1966	2 893	2 014	558	317	315	nil	51
1967	3 182	2 213	634	291	359	+ 8,4%	76
1968	3 387	2 347	712	269	390	nil	78
1969	3 658	2 554	796	245	420	nil	85
1970	3 890	2 676	913	293	483	+ 7,5%	117
1971	4 249	2 831	1 041	389	524	nil	128
1972	4 640	3 087	1 140	424	569	nil	99
1973	5 088	3 360	1 260	551	662	+ 8,4%	121
1974	5 814	3 912	1 437	616	783	nil	177
1975	7 068	4 910	1 667	1 142	904	+ 9,8%	230
1976	9 133	6 566	1 977	1 267	1 071	+10,3%	311
1977	10 649	7 552	2 359	1 950	1 263	+ 9,9%	382
1978	12 886	8 897	2 882	2 588	1 600	+18,7%	523
1979	15 505	10 354	3 628	2 817	1 956	+13,7%	746
1980	18 012	12 107	4 374	2 589	2 413	+13,3%	746
1981	20 730	13 713	4 926	2 643	2 770	+10,6%	559
1982	23 169	15 628	5 719	2 542	3 257	+16,3%	800
1983	25 199	16 453	6 365	2 188	3 593	+ 7,3%	707

Source: Hydro-Québec
*   Année d'acquisition de distributeurs privés d'électricité par Hydro-Québec
** Changements à la méthode d'amortissement des immobilisations
1. Avoir de l'actionnaire, à compter de 1981.
e = estimations.

LE LANGAGE DES CHIFFRES
HYDRO-QUÉBEC, 1944-1983

ANNÉES	PUISSANCE INSTALLÉE (en mégawatts)	PRODUCTION BRUTE en mégawattheures	VENTES	NOMBRE TOTAL D'ABON-NEMENTS (en milliers)	Secteur domestique[1]			NOMBRE D'EMPLOYÉS
					NOMBRE D'ABON-NEMENTS (en milliers)	CONSOM-MATION MOYENNE en kWh	PRIX MOYEN du kWh ¢	
1944	616 e	5 320	5 320	290	249	804	2.3598	n/d
1945	616 e	4 477	4 877	296	253	861	2.1509	1 400(2) (e)
1946	758 e	4 554	4 953	303	259	980	2.0415	1 608(2)
1947	758 e	5 079	5 468	309	264	1 080	1.9616	1 735(2)
1948	795 e	5 702	5 973	321	273	1 174	1.8747	1 823(2)
1949	810	5 940	6 174	345	295	1 309	1.7811	2 014(2)
1950	891	6 610	6 754	348	297	1 588	1.6810	2 194(2)
1951	1 053	7 354	7 498	366	315	1 856	1.5920	2 327(2)
1952	1 173	7 817	7 840	382	329	2 096	1.524	2 501(2)
1953	1 277	8 538	8 450	399	344	2 358	1.465	2 569(2)
1954	1 301	8 315	8 105	418	362	2 742	1.401	2 843(2)
1955	1 301	8 963	8 828	437	379	2 981	1.378	3 010(2)
1956	1 541	10 137	10 037	460	400	3 258	1.359	3 231(2)
1957	1 883	11 231	11 134	491	428	3 516	1.317	3 200(2)
1958	2 111	12 622	12 420	510	445	3 760	1.280	3 300(2) (e)
1959	2 906	13 956	13 657	536	475	3 951	1.246	3 439(2)
1960	3 378	15 955	15 547	559	494	4 136	1.238	3 506(2)
1961	3 488	17 752	17 229	575	509	4 323	1.226	3 830(2)
1962	3 675	18 326	17 758	589	521	4 612	1.208	4 287(2)
1963*	6 222	26 192	26 418	1 363	1 193	3 995	1.285	9 800** (2) (e)
1964	6 562	34 534	35 262	1 492	1 322	5 157	1.241	10 261
1965	7 350	34 844	36 105	1 539	1 365	5 573	1.231	10 976
1966	7 763	39 616	39 945	1 581	1 406	5 935	1.218	11 466
1967	8 179	41 413	41 643	1 656	1 471	6 413	1.316	11 637
1968	8 365	43 352	43 316	1 720	1 525	6 638	1.379	11 723
1969	9 809	47 100	46 771	1 773	1 567	6 937	1.366	11 890
1970	10 617	52 402	50 886	1 852	1 632	7 308	1.490	12 012
1971	11 107	54 339	53 069	1 895	1 670	7 573	1.514	12 245
1972	11 107	55 906	61 283	1 943	1 717	8 094	1.482	12 627
1973	11 148	57 750	69 261	2 017	1 784	8 694	1.549	13 027
1974	11 123	60 189	78 277	2 081	1 842	9 521	1.559	13 679
1975	11 356	54 623	77 522	2 136	1 894	10 048	1.680	14 543
1976	12 409	61 206	85 223	2 188	1 942	11 269	1.744	14 969
1977	12 523	61 062	87 481	2 265	2 011	12 340	1.882	15 763
1978	12 979	63 524	92 606	2 318	2 060	13 207	2.433	16 930
1979	14 475	70 543	97 015	2 372	2 108	13 311	2.485	17 880
1980	16 862	76 494	104 005	2 416	2 146	14 310	2.794	18 635
1981	18 552	80 581	106 930	2 457	2 181	14 570	3.088	19 482
1982	19 142	78 821	103 578	2 487	2 208	14 641	3.621	19 959
1983	21 301	88 321	107 700	2 528	2 253	14 576	3.893	18 975

Source: Hydro-Québec

* Année d'acquisition de distributeurs privés d'électricité par Hydro-Québec

** Comprend les employés permanents et temporaires d'Hydro-Québec, incluant les compagnies acquises, 1963-1983.

e: estimations

1. abonnements domestiques et agricoles

2. contributaires au fonds de pension

LISTE DES CENTRALES D'HYDRO-QUÉBEC

en service ou en construction au 31 décembre 1983

CENTRALES EN SERVICE*	Puissance (kilowatts)
Hydroélectriques	
La Grande 2	5 328 000
La Grande 3***	1 920 000
Beauharnois	1 613 410
Manic 5	1 292 000
Manic 3	1 183 000
Manic 2	1 015 200
Bersimis 1	912 000
Outardes 3	756 200
Bersimis 2	655 000
Carillon	654 500
Outardes 4	632 000
Outardes 2	453 900
Trenche	290 800
Beaumont	243 000
La Tuque	216 000
Paugan	208 850
Manic 1	184 410
Rapide Blanc	183 600
Shawinigan 2	163 000
Les Cèdres	162 000
Shawinigan 3	157 300
Grand-Mère	148 075
Rapide-des-Îles	146 520
Chelsea	144 000
La Gabelle	136 580
Première Chute	124 200
Rapides Farmers	98 250
Rapides des Quinze	89 600
Chute des Chats	89 300
Bryson	61 000
Rapide 7	57 000
Rapide 2	48 000
Rivière des Prairies	45 000
Chute Hemmings	28 800
Hull 2	27 280
Sept Chutes	18 720
Saint-Narcisse	15 000
Drummondville	14 600
Mitis 1	6 400
Pont-Arnaud	5 450
Chute Bell	4 800
Mitis 2	4 250
Saint-Alban	3 000
Saint-Raphaël	2 550
Sherbrooke	2 256
Chute Garneau	2 240
Corbeau	2 000
Magpie	1 800
Rawdon	1 720
Chute Burroughs	1 600
Anse Saint-Jean	400

Thermiques	Puissance (kilowatts)
Nucléaire	
Gentilly 2	685 000
Classique	
Tracy	600 000
Turbines à gaz	
La Citière	200 880
Cadillac	162 000

Groupes diesels	Puissance (kilowatts)
Îles de la Madeleine	59 339
Blanc-Sablon	6 200
La Tabatière	4 700
Saint-Augustin	3 000
Kuujjuaq	2 400
Kuujjuarapik	2 400
La Romaine	2 400
Parent	2 350
Natashquan	2 100
Île d'Entrée	1 740
Port-Menier	1 700
Île aux Grues	1 650
Inukjuak	1 250
Povungnituk	1 250
Salluit	1 000
Kangiqsujuaq	820
Quaqtaq	800
Kangiqsualujjuaq	630
Johan-Beetz	605
Kangirsuk	600
Akullvik	440
Tasiujaq	440
Aupaluk	400
Ivujivik	360

PUISSANCE INSTALLÉE TOTALE**	(kilowatts)
Centrales hydroélectriques (51)	19 554 761
Centrales thermiques (28)	1 746 454
Total des 79 centrales en service au 31 décembre 1983	21 301 215

CENTRALES EN CONSTRUCTION	Mise en service	Puissance (kilowatts)
Hydroélectriques		
La Grande 3***	1984	384 000
La Grande 4	1984-1985	2 637 000
Manic 5 (suréquipement)	1992-1993	988 000

* Deux éoliennes expérimentales, l'une de 230 kilowatts rattachée au réseau des Îles de la Madeleine, l'autre de 56 kilowatts exploitée à l'IREQ, ne sont pas incluses dans la liste des centrales en service.

** Hydro Québec dispose également de la majeure partie de la production de la centrale de Churchill Falls, d'une puissance nominale de 5 225 mégawatts.

*** Au 31 décembre 1983, 10 groupes de La Grande 3 étaient en service. Cette centrale de 12 groupes, dont la construction se terminera en 1984, aura une puissance totale de 2 304 mégawatts.

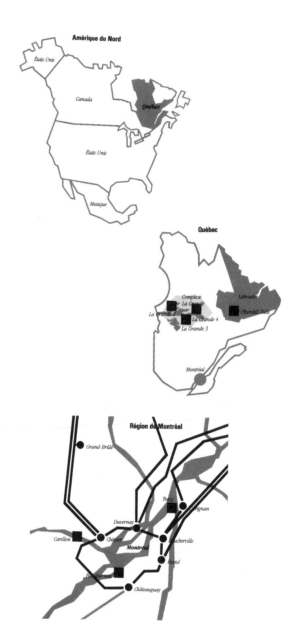

Légende

■	Centrale de 500 MW et plus	
■	Centrale de 500 MW et plus en construction	
●	Poste à 735 kV	
●	Futur poste à 735 kV	

▶◀ Interconnexion

▷◁ Future interconnexion

▬ Ligne à 735 kV

●●● Future ligne à 735 kV

▬ Ligne à 765 kV

LES PRINCIPALES INSTALLATIONS
D'HYDRO-QUÉBEC EN 1983

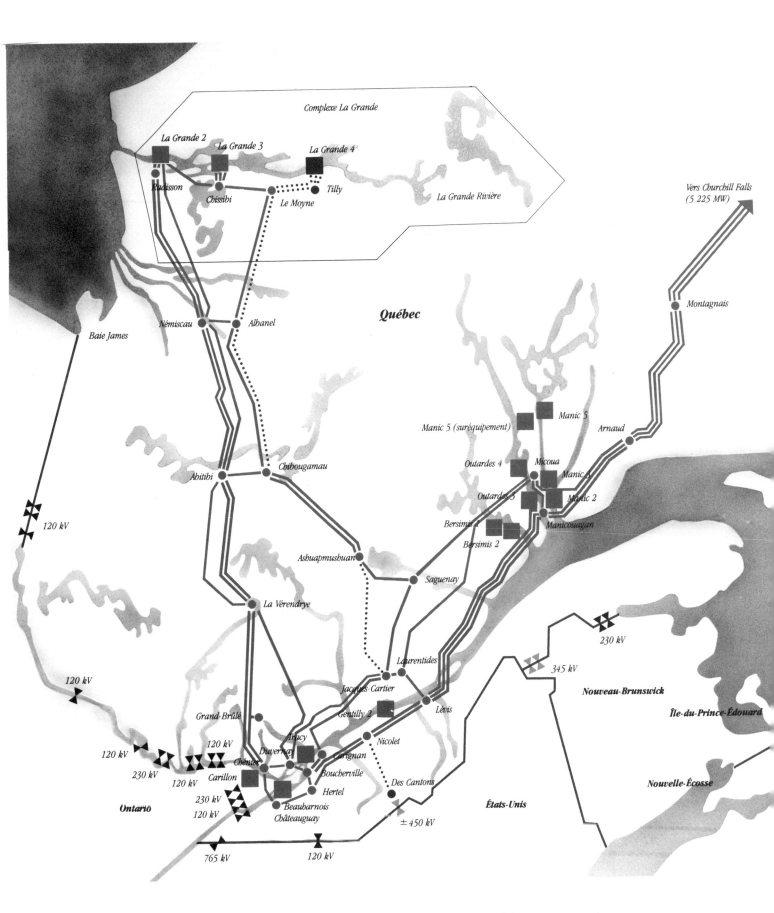

Complexe La Grande

La Grande 2
La Grande 3
La Grande 4

Radisson
Chissibi
Le Moyne
Tilly
La Grande Rivière

Vers Churchill Falls
(5 225 MW)

Québec

Baie James

Némiscau
Albanel

Montagnais

120 kV

Chibougamau

Abitibi

Manic 5 (suréquipement)
Manic 5
Arnaud

Outardes 4
Micoua
Manic 3
Outardes 3
Manic 2
Bersimis 1
Manicouagan
Bersimis 2

Ashuapmushuan

Saguenay

120 kV

La Vérendrye

230 kV

345 kV

Laurentides

Nouveau-Brunswick

Jacques-Cartier

Lévis

Île-du-Prince-Édouard

120 kV

Grand-Brûlé
Gentilly 2

Tracy
Nicolet

Duvernay
Carignan

120 kV

120 kV
Chénier
Boucherville

230 kV
Carillon
Hertel

Des Cantons

Nouvelle-Écosse

États-Unis

230 kV
Beauharnois
120 kV
Châteauguay

± 450 kV

Ontario

765 kV
120 kV

191